JFA

COLECCION ALMAR TEATRO

Directores:
Patricia W. O'Connor
Anthony M. Pascuariello

JOSE LOPEZ RUBIO

CELOS DEL AIRE

JOSE LOPEZ RUBIO

JOSE LOPEZ RUBIO

CELOS DEL AIRE

Comedia en tres actos

Edición, introducción y notas

de

MARION P. HOLT

Catedrático de The College of Staten Island

City University of New York (U. S. A.)

Ediciones Almar, S. A. - Salamanca

© Ediciones Almar, S. A.
Compañía, 65
Teléfono (923) 21 87 91
Salamanca (España)

ISBN: 84 - 7455 - 041 - 6
Depósito Legal: S. 104-1980
Printed in Spain. Impreso en España

Imprime: Artes Gráficas JOMAN
Polígono Inudstrial «El Montalvo»
Cra. Carbajosa, 5 - Teléf. 21 99 63
Salamanca, 1982

CONTENIDO

INTRODUCCION

1. VIDA Y CARRERA DE LÓPEZ RUBIO

Comediógrafo, guionista y director de cine, traductor de importantes obras extranjeras, y autor de televisión, José López Rubio ha cultivado distintas formas dramáticas que van desde la comedia irónica y sofisticada hasta el teledrama histórico, y como periodista de alto nivel literario ha colaborado en numerosas publicaciones españolas. Aunque empezó a escribir profesionalmente en la década de los veinte y estrenó su primera obra teatral en 1929, no se incorporó definitivamente al teatro español hasta el período de la posguerra. En 1949 estrenó *Alberto,* primera de las comedias humorísticas de fondo poético o serio en que ha alcanzado sus mejores valores como dramaturgo; y el año siguiente tuvo un éxito extraordinario con *Celos del aire,* recibiendo el Premio Fastenrath de la Real Academia Española para la mejor obra dramática de la temporada.

Toda la vida de López Rubio ha estado influida por su amor al teatro, y su biografía es ante todo la descripción de sus contactos, ambos formativos y profesionales, con el mundo del teatro y cine. Nació en la ciudad de Motril el 13 de diciembre de 1903, el sexto hijo de José López Atienza y Magdalena Rubio Díaz. Desde 1905 hasta 1915 vivió con su familia en Granada, y como niño enfermizo y rico estudió en un colegio de monjas francesas e hizo la primera enseñanza en francés. Su padre, muy aficionado al teatro, le llevaba con frecuencia a las representaciones que se podían ver en Granada, influyendo sobre su formación intelectual y estimulando aún más su creciente interés en todos los aspectos del arte teatral [1].

En 1915 la familia se trasladó a Madrid, donde el joven López Rubio tuvo la oportunidad de ver actuar a José Tallavi, María Guerrero, Carmen Cobeña y otros famosos actores y actrices de la época benaventina. Desde 1917 a 1919 su padre fue gobernador civil en Cuenca, y en esta ciudad provincial López Rubio escribió su primera obra teatral, un sainete en un acto titulado *Los discípulos de Caco,* que fue representado con música compuesta por el director de la banda municipal. Al cumplir los dieciséis años, volvió a Madrid e ingresó en la Universidad Central; pero a los pocos meses abandonó la carrera universitaria para dedicarse en serio al periodismo. Empezó a colaborar en *Nuevo Mundo, La Esfera* y *Los Lunes de El Imparcial* y fue secretario de redacción de *Buen Humor,* revista de importancia literaria y artística fundada por Pedro Antonio Villahermosa y el caricaturista Sileno. Publicó en 1925 su primer libro, *Cuentos inverosímiles,* ilustrado por varios dibujantes y artistas madrileños; tres años después apareció *Roque Six,* una novela humorística e irónica que relata las aventuras picarescas en las seis vidas del antihéroe Roque, reencarnado en distintos países del mundo.

La década de los veinte fue para el joven escritor un período de importantes contactos intelectuales y de amistades que influyeron profundamente en su vida profesional. Con dos amigos inseparables, Edgar Neville y Tono, frecuentaba las tertulias de Ramón Gómez de la Serna, figura más destacada de la vanguardia literaria de Madrid. También empezó a tentar teatro y colaboró con otro amigo, Enrique Jardiel Poncela, en dos piezas que no llegaron a

1. En una entrevista publicada por Carlos Fernández Cuenca, «El autor y su obra preferida», *Correo literario,* III, 62 (15 diciembre 1952), pág. 12, López Rubio nos dice que a la edad de siete años le pidió a María Guerrero un puesto en su compañía cuando se halló casualmente en la presencia de la famosa actriz. En otra entrevista, publicada por Julián Cortés-Cavanillas, «Pepe López Rubio, el comediógrafo de espuma», *Los domingos de ABC* (2 noviembre 1975), pág. 22, describe su primera experiencia en el escenario de un teatro, presenciando un ensayo de *El alcázar de las perlas,* dirigido por Fernando Díaz de Mendoza.

estrenarse. Una comedia escrita con Neville fue puesta en escena con el título *Su mano derecha* después de ser modificada bastante por el comediógrafo Honorio Maura [2].

El año 1918 fue decisivo para López Rubio. Se presentó a un concurso convocado por el diario «ABC» para autores noveles con una obra escrita en colaboración con Eduardo Ugarte Pagés. Su comedia intelectual, titulada *De la noche a la mañana,* ganó el primer premio entre 884 obras presentadas y se estrenó con gran éxito de público y de crítica en el teatro Reina Victoria. Al año siguiente, *La casa de naipes,* segunda pieza escrita con Ugarte, se estrenó; pero otros proyectos de los dos autores jóvenes no se realizaron. En agosto de 1930 firmaron contratos con Metro-Goldwyn-Mayer para trabajar como dialoguistas en el nuevo departamento español de la compañía cinematográfica [3].

Los años pasados en los Estados Unidos representan una segunda etapa muy significativa en la carrera de López Rubio. En Hollywood hizo amistades y trabajó con algunos de los directores, actores y escritores más creativos de la «época dorada» del cine. Conoció a Charles Chaplin e iba con frecuencia a las reuniones de los famosos —como Albert Einstein y Luis Buñuel— en su casa. En los estudios de la Metro, López Rubio y Ugarte hicieron los diálogos para *El proceso de Mary Dugan* (primera película completamente sonora de esa compañía), *La mujer X,* y *Su última noche* (basada en la película muda *The Gay Deceiver*); pero a los pocos meses se cerró el departamento español y concluyó el período de colaboración con Ugarte. López Rubio pasó a los estudios de la Fox (después 20th Century Fox), donde escribió diálogos, hizo adaptaciones y supervisó varias películas. Fue guionista de cinco de las seis comedias de

2. López Rubio y Neville se beneficiaron en el aspecto económico pero permanecieron ignorados del público. La comedia fue publicada en 1928 en la serie «La Farsa» (Núm. 20) sin mención de los autores originales.

3. Aunque se había introducido la técnica de doblaje en 1929, Metro-Goldwyn-Mayer, Fox, Paramount, y otros estudios continuaron filmando versiones españolas y, a veces, francesas o alemanas de sus películas para los importantes mercados europeos.

los Martínez Sierra filmadas en América y guionista de
otras seis producciones españolas de la Fox [4].

Aunque había suspendido su carrera de dramaturgo,
López Rubio no perdió la ilusión de volver al teatro.
En 1935, durante su estancia en Hollywood, compuso el
primer acto de *Celos del aire,* comedia que iba a tardar
unos quince años en llegar al escenario. A principios
de 1936 regresó a España contratado para dirigir una película basada en *La malquerida* de Benavente, pero estalló
la Guerra Civil en el momento de empezar el rodaje. Después de unas semanas de indecisión en Madrid, López
Rubio aceptó un nuevo contrato con la Fox, trabajando en
varios proyectos cinematográficos, primero en los Estados
Unidos y después en México. En 1940 realizó al fin la versión de *La malquerida* y se dedicó al cine español hasta 1949. Al terminar *Eugenia de Montijo* en 1944, en año
y medio de inactividad, se puso a escribir teatro otra vez
y completó *Alberto* y *Una madeja de lana azul celeste,* piezas de índole muy distinta —la primera una comedia de
fondo poético con elementos de crítica social y la otra una
pieza más convencional en que el autor plantea un conflicto conyugal que se resuelve felizmente.

El verdadero retorno de López Rubio al teatro no
había de ser con dramas originales sino con adaptaciones
de obras extranjeras —*El tiempo dormido (Mrs. Moon-*
light), de Benn W. Levy, estrenada en 1947, y *El burgués*
gentilhombre (Le bourgeois gentilhomme) de Molière
en 1948. *Alberto* fue puesto en escena en 1949, marcando
el comienzo de la segunda y más importante etapa de su
carrera de autor de teatro. Animado por el interés del actor
Guillermo Marín y del director Cayetano Luca de Tena,
López Rubio decidió completar la comedia que había co-
menzado en Hollywood. Cuando *Celos del aire* se estrenó
en 1950, recibió el aplauso del público y los elogios de los

---

4. Para documentación completa de las contribuciones de López
Rubio, Neville, Ugarte y Jardiel Poncela en los primeros años de películas sonoras, véase el artículo de Alfonso Pinto, «Hollywood's
Spanish Language Films: A Neglected Chapter of the American Cinema, 1930-1935», *Films in Review,* XXIV, 8 (Octubre 1973).

críticos, confirmando al autor como figura de importancia literaria y artística en el teatro español de la posguerra.

Entre 1950 y 1955 se representaron otras siete obras teatrales de López Rubio, entre las cuales se destacan tres de su mejores comedias: *El remedio en la memoria* (1952), *La venda en los ojos* (1954) y *La otra orilla* (1954). Menos logradas pero no faltando interés dramático, y elogiadas por su diálogo agudo o gracioso, son: *Veinte y cuarenta* (1951), *Cena de Navidad* (1951), *Una madeja de lana azul celeste* (estrenada en 1951, pero escrita antes), y *Cuenta nueva* (representada sólo en Barcelona en 1954 y nunca editada). También, en este período tan activo, López Rubio alternaba la labor creadora con la de verter al castellano obras del teatro extranjero: *Tovarich* de Jacques Deval, *La muerte de un viajante (Death of a Salesman)* de Arthur Miller, *La mujer constante (The Constant Wife)* de W. Somerset Maugham, y *La importancia de llamarse Ernesto (The Importance of Being Earnest)* de Oscar Wilde. En 1955 colaboró con el compositor Manuel Parada en una comedia musical. *El caballero de Barajas,* que les mereció el Premio María Rolland; pero el mismo año tuvo su fracaso más completo al estrenar en Barcelona *La novia del espacio,* comedia poética-irónica que plantea el tema de una mujer que se enamora de un ser extraterrestre. Esta etapa tan fecunda en la carrera de López Rubio concluye con *Un tronco para Cristy* (1956), obra más típica, pero con toques de sentimentalismo que le da un tono de «pièce rose».

Aun con las frustraciones y prohibiciones de la censura y el conservadurismo del público, el teatro español daba señales de renovación en los años cincuenta con los ejemplos de Buero Vallejo, Sastre, Muñiz y otros autores de la joven generación que se atrevían a tratar temas de resonancia social o política, buscando formas nuevas de expresión. A la vez, López Rubio, Mihura y Ruiz Iriarte contribuían a la calidad del teatro de la década con obras humorísticas o cómico-serias de patentes valores artísticos. Sin embargo, los teóricos insistieron en una ruptura absoluta con lo tradicional y la creación de un nuevo teatro comprometido o de protesta, acusando a López Rubio y sus contemporáneos de hacer un teatro de evasión o de conformarse demasiado a las exigencias prácticas del teatro burgués.

López Rubio quedaba al margen de las polémicas, siempre explicando sucintamente y sin pretensión su propósito dramático en sus acostumbradas autocríticas. En 1958, tras dos años sin estrenar, volvió al teatro con una obra atípica de línea neoclásica en la cual había abandonado sus recursos más conocidos para concebir un inquietante «debate moral» sobre el decaimiento espiritual del hombre contemporáneo. La realización de *Las manos son inocentes* demostró claramente su capacidad para tratar temas de índole trágica sin hacer concesiones al público. A pesar de los valores tan obvios de este excelente drama, algunos críticos lo consideraron demasiado retórico o friamente intelectual y, por consecuencia, de limitado interés teatral. Además, el público no acudió al teatro para apoyar una obra tan debatida.

Al volver a escribir, López Rubio no eligió seguir el nuevo camino dramático. Acercándose más a la frase y utilizando una técnica pirandelliana como base de situaciones cómicas, creó dos piezas divertidas para el talento de la actriz Conchita Montes —*Diana está comunicando* en 1960 y *Esta noche, tampoco* en 1963—. Después del estreno de *Nunca es tarde* en 1964 estuvo ausente del teatro madrileño hasta 1971, aunque adaptó varias obras extranjeras. En este período completó otro drama atípico, *La puerta del ángel,* que no llegó a estrenarse —quizá por su tratamiento tan directo del tema del adulterio y la violencia inspirada por el deseo sexual.

En la década de los sesenta, López Rubio hizo varios viajes fuera de España y volvió a los Estados Unidos por unos meses en 1967. Dio conferencias en varias universidades norteamericanas y visitó de nuevo la ciudad que había sido la capital de la industria cinematográfica hasta la época de la televisión. Al regresar a España, escribió para Televisión Española una serie de guiones de temas distintos llamada *Al filo de lo imposible,* demostrando en estos teledramas cómicos y serios, su comprensión del nuevo medio y recibiendo el Premio Nacional de Televisión y el Premio Ondas. Su próximo retorno al teatro iba a ser con uno de los guiones, *Veneno activo,* que adaptó y estrenó en el café-teatro «Stéfanis» en 1971. Al año siguiente, *El corazón en la mano,* una nueva comedia seria de López Rubio concebida con la maestría de sus mejores esfuerzos recibió el Premio Nacional de Teatro para la temporada de 1972. Los trece teledramas históricos de la serie *Mujeres insólitas* representan la labor teatral más notable de López Rubio en los años setenta [5]. Contratado para la nueva serie en 1974, aprovechó sus lecturas históricas de muchos años para identificar mujeres con algo extraño o distinto a las demás, de varios países y distintas épocas como protagonistas de sus guiones. Buscando un nuevo concepto de presentación visual y de construcción dramática, rechazó el realismo acostumbrado de la pequeña pantalla para lograr un enfoque totalmente original.

López Rubio sigue escribiendo y colabora con ensayos y artículos en varios periódicos y revistas. Ha visto iniciarse el período de destape en España sin estrenar pero no ha abandonado su vocación de dramaturgo. En 1981, reside en Madrid, trabaja en una adaptación para la televisión de *Realidad* de Pérez Galdós y dedica muchas horas a la organización de su extensa biblioteca de literatura teatral.

II. Estética y enfoque temático de su teatro

Con las comedias serias *Alberto, Celos del aire, El remedio en la memoria, La venda en los ojos* y *La otra orilla,* José López Rubio ha creado un teatro cómico-intelec-

5. Las mujeres famosas cuyas historias son tratadas en la serie son: Anne Boleyn (*La segunda señora Tudor*), Teresa Cabarrús (*Nuestra señora de Termidor*), Cleopatra (*La sierpe del Nilo*), la marquesa de Brinvilliers (*El ángel atosigador*), Catalina de Erauso (*La monja Alférez*), María Dolores Elisa Gilbert (*Lola Montes*), Madame de La Motte (*El collar de la reina*), Blanca Capello (*La bruja de Venecia*), Juana de Castilla (*La reina loca*), Inés de Castro (*La reina después de muerta*), Alfonsine Plessis (*La dama de las camelias*), Ana de Mendoza (*La tumultuosa Princesa de Eboli*), y Margarita Steinheil (*La viuda roja*).

tual que le pone al nivel de los mejores autores contemporáneos de este género dramático. Aun en sus piezas
menos logradas, como *Cuenta nueva* o *Cena de Navidad*,
en que ha dejado desviarse la situación dramática hacia un
realismo demasiado convencional, es evidente su fino sentido de lo teatral, y se destacan escenas cuyos brillantes diálogos son de innegable calidad literaria. A la vez, ha ex-
perimentado con formas atípicas en su «duo coreado» *Las
manos son inocentes,* escribiendo un excelente drama de li-
naje clásico sobre el decaimiento moral y espiritual del
hombre contemporáneo, y adoptando en su serie *Mujeres
insólitas* una técnica de antirrealismo y distanciación para
efectuar en cada teledrama la desmitificación de una protagonista histórica.

López Rubio ha tratado una variedad de temas dramáticos, pero con pocas excepciones su obra, sea humorística
o seria, se basa en un contraste de la ilusión y la realidad,
siempre en un ambiente esencialmente realista. Su prefe-
rencia por situaciones dramáticas en que se desarrolla el
teatro dentro del teatro demuestra claramente su afinidad
con Pirandello, el ruso Evreinoff y los dramaturgos neo-
pirandellianos franceses, Anouilh y Achard. Los personajes
de sus mejores comedias existen en un mundo sumamente
teatral, gozan de su propia teatralidad y proclaman a veces
su condición de vivir el teatro. La casa baronial de *Celos del
aire* es un teatro dentro del teatro (disfrazada de casa, por
supuesto) donde las intrigas de dos parejas jóvenes se trans-
forman en escenas teatrales para los dos ancianos que sirven
de espectadores. El segundo acto de *Alberto* es un «drama»
creado por los inquilinos de una pensión madrileña para
remediar una realidad con la cual no quieren enfrentarse.
Sin duda, la comedia más ingeniosa y perfecta en que los
personajes crean su propio mundo teatral es *La venda en
los ojos,* con los monólogos telefónicos [6] y re-creaciones

---

6. El teléfono suele ser un accesorio esencial en el teatro de López Rubio después de 1954. En *La venda en los ojos* tiene una importante función dramática, sirviendo casi de personaje; en otras comedias tiene funciones especiales: contribuye al suspenso en *La otra
orilla;* representa el mensajero clásico en *Las manos son inocentes;*
anuncia un accidente de trágico en *Nunca es tarde;* y en *El corazón
en la mano* un personaje es introducido primero por teléfono.

conscientes de la protagonista y los «papeles» que su tía representa ante El Comprador, que sirve de público.

El remedio en la memoria, sin parecer imitativa, revela la influencia pirandelliana más directa en la estética teatral de López Rubio. Tratando una crisis en la vida de una actriz que ha vivido teatro hasta el punto de no poder distinguir entre realidad y los papeles que ha hecho con tanto éxito en los escenarios, la comedia tiene un antecedente en *Trovarsi* (1932), drama de Pirandello cuya protagonista confunde su vida profesional con la vida privada. En otras comedias del autor la transformación teatral de la vida puede ser menos obvia, o el teatro dentro del teatro se limita a una sola escena de gran efecto dramático que se destaca del fondo realista [7]. Las situaciones más divertidas de *Esta noche, tampoco,* comedia en que se mezcla la farsa, están basadas en la creación consciente de teatro por los personajes, pero en este caso el recurso cabe dentro de la tradición de los enredos de falsa identidad que han sido una base de teatro cómico durante siglos.

Aunque la realidad y la ilusión se contrastan casi siempre en el teatro de López Rubio, la comedia irónica *La otra orilla,* una de las obras más aplaudidas del autor, difiere bastante en un aspecto fundamental: la introducción de lo sobrenatural que permite la yuxtaposición de dos planos de realidad —el de los muertos y el de los vivos—. Los cuatro personajes principales, muertos en los primeros momentos de la acción, tienen que enfrentarse con la falsedad de sus vidas pasadas y con su desaparición inminente de este mundo. Son espectadores a veces para las conversaciones de los personajes vivos estando separados de éstos más o menos como el público y los actores en un teatro. Se ha comparado *La otra orilla* a otros ejemplos de teatro de

---

7. *Cena de Navidad* tiene una escena en que se recrea el pasado como teatro-técnica tanto de Shakespeare como de Pirandello. En el drama inédito *La puerta del ángel,* dos mujeres reciben a unos invitados imaginarios; en *Nunca es tarde,* la protagonista recrea el pasado con su amante, transformándolo en una nueva «realidad».

«ultratumba» desde el Siglo de Oro hasta Noel Coward [8].
Ambos, Coward y Enrique Jardiel Poncela, habían escrito
comedias modernas en que aparecen fantasmas que se mez-
clan en el enredo o influyen en el desenlace de la obra;
pero en *La otra orilla* los dos mundos de vivos y muertos
tienen contacto sólo en una breve escena, y los fantasmas
experimentan la frustración de no poder influir en la otra
realidad [9].

El tema ficción-realidad recibe su evocación más sutil
e imaginativa en la serie *Mujeres insólitas*. La acción de
cada teledrama empieza en un escenario vacío y oscuro
donde la protagonista está vistiéndose y maquillándose para
el papel de sí misma, con la ayuda de un tramoyista-direc-
tor llamado Pepe que aparece en todas las piezas [10]. Se reci-
tan versos o representan escenas de obras de autores que
han contribuido a la creación de un mito o leyenda alrededor de la persona histórica, y la Mujer corrige, a veces con
ironía, las versiones de su vida —aun reconociendo los
valores literarios de las ficciones—. Se evita una presentación realista por el uso de muñecos, maquetas, o dibujos,
limitando los accesorios a los que sean esenciales para es-
timular la imaginación. La Mujer participa en la representa-
ción de su vida pero sale de escena para comentar directa-
mente al público, contrastando los hechos conocidos de la
Historia con las transformaciones literarias de su vida.

En las comedias de López Rubio se reflejan las observa-
ciones del autor ante la sociedad y las instituciones de su

---

8. En su comentario sobre *La otra orilla* en *Veinte años de teatro en España* (Madrid 1959), Alfredo Marquería menciona los nombres de unos trece autores de obras teatrales en que aparecen fantasmas. No es necesario insistir en la popularidad desde hace siglos de
los muertos que hablan en el teatro.
9. Se ve la acción de la perspectiva de los muertos también en
Outward Bound (1923) de Sutton Vane, pero no hay el contrapunto
continuo entre dos realidades. Además, López Rubio mantiene una
actitud irónica, evitando el sentimentalismo y el tono seudo-religioso
del autor inglés.
10. Todas las Mujeres insólitas son llamadas «Ella» en las acotaciones de los guiones. En una carta personal, 26 de junio de 1978,
López Rubio escribe que su idea original fue que todos los personajes de la serie, a pesar de ser tipos muy distintos, fuesen interpreta-
dos por la misma actriz.

tiempo, y con frecuencia hay una corriente de sátira que muestra una actitud personal hacia la vida o la condición de sus personajes [11]. En *Celos del aire* pone en ridículo el egoísmo de un dramaturgo de poca perspicacia pero mucho talento para valerse de las ideas de su esposa (creyéndolas ficciones). También satiriza la tradicional amistad masculina, cuya comunicación más profunda resulta una recitación de sus conquistas amorosas. En *La venda en los ojos,* el autor satiriza los clisés del teatro convencional, haciendo juego de una técnica de exposición maltratada por los escritores mediocres, y hace broma de los sentimentalismos de ciertos programas de radio. Ofrece una ingeniosa sátira de la sociedad contemporánea, su conformidad, su manera de comunicarse, y sus inconsistencias. Los personajes de esta comedia participan en la sátira, reconociendo que aún en su mundo inventado no pueden desposeerse completamente de los símbolos de la sociedad que manda afuera. En *La otra orilla* hay, además de una aguda sátira de la infidelidad, un humor delicioso cuando los personajes muertos siguen expresándose con la hipocresía de los vivos; y en una pieza más reciente, *El corazón en la mano,* se percibe una posición irónica ante la amoralidad y egocentrismo de unos caracteres jóvenes de los años setenta. Aunque se manifiesta plenamente el cinismo de López Rubio hacia las relaciones entre los sexos, se repite, sin embargo, en sus comedias la idea de que el amor perdurable es posible si sabemos renovarlo (o recrearlo como teatro) [12].

En la comedia sofisticada de gran teatralidad, la humanidad de los personajes suele oscurecerse en el diálogo chis-

---

11. En una entrevista publicada por Santiago Alberti, «El hombre y su idea: José López Rubio», *Revista,* II, 59 (28 mayo - 3 junio 1953), pág. 11, López Rubio ha dicho: «Las frases de mis personajes son sólo el reflejo de mi propia sensibilidad, de mi visión personal de la vida».

12. Al final de *Diana está comunicando,* La Enferma dice al público: «A mí, el amor, me parece uno de los mejores adelantos modernos... Dicen que es muy antiguo... Pero, la verdad, si se quiere que dure eternamente, no hay como volverlo a inventar todos los días...»

peante o en situaciones ingeniosas [13], pero aun en las piezas
más ligeras de López Rubio se les permite a los caracteres
una expresión de su autenticidad —o en sutiles alusiones
o en declaraciones elocuentes en momentos claves de la
acción. A pesar de los elementos de sátira o ironía, los
juegos de palabras, y el énfasis en la teatralidad, se percibe
la densa calidad humana de su teatro. Sus mejores comedias
requieren que reflexionemos sobre la condición de sus personajes, y estos personajes nos conmueven o nos interesan
aun cuando reconocemos que han sido creados sin otro motivo que el de conmovernos. El crítico norteamericano Lionel Abel ha postulado los términos *metatheatre* y *metaplay*
para designar aquellas obras dramáticas equidistantes de la
tragedia y la comedia puras que se basan en el concepto de
mundo como teatro y que proclaman su teatralidad. Representan una tradición teatral que se deriva de Calderón y
Shakespeare y que se manifiesta en diversas formas en el
teatro moderno [14]. Aunque parezcan menos trascendentales
que ciertos dramas citados por Abel, las obras más logradas
y artísticas de López Rubio, como las de Anouilh en Francia, caben dentro de esta tradición.

En los años cincuenta, López Rubio llegó a ser consi-
derado el supremo dialoguista del teatro contemporáneo español, y nunca faltaban los elogios para la calidad literaria
de sus comedias; en cambio, pasaban sin notarse a veces
otros importantes valores dramáticos de su teatro. Cuando
se estrenó *El remedio en la memoria*, una obra complicada
de difícil realización, apenas algún crítico se fijó en el doble
juego de ficción y realidad que había trazado con tanta
maestría. El tratamiento original del tema fáustico de *El corazón en la mano*, con el desenlace atípico de esta comedia,
no fue notado; ni fue percibida la deliciosa sátira de una
sociedad demasiado frívola dentro de la farsa divertida de
Esta noche, tampoco. Inéditos y presentados sólo una vez
en la televisión, los teledramas de la serie *Mujeres insóli-*

---

13. Pueden citarse los ejemplos de *Private Lives* de Noel Coward y *Játék a kastélyban* de Ferenc Molnar.
14. Lionel Abel, *Metatheatre* (New York: Hill and Wang, 1963),
págs. 59-61.

tas no han recibido más atención que unos comentarios superficiales, aunque reflejan los mejores talentos del dramaturgo.

Si encontramos semejanzas en su teatro con autores contemporáneos o de siglos pasados, debemos tener en cuenta que López Rubio ha sido un estudiante dedicado del teatro mundial desde su juventud, y que además de ser heredero legítimo de las tradiciones españolas —sean de Calderón y Lope o de Moratín— ha participado con Gómez de la Serna, Jardiel Poncela, Tono, Mihura y Neville en el fermento intelectual de los años veinte. En sus años formativos vio representadas, o leyó, obras de Molnar, de Evreinoff, y, de una manera especial, las de Pirandello, experimentando influencias directas e indirectas como sus contemporáneos en España y otros países europeos, mientras se desarrollaba una estética personal.

III. Celos del aire

López Rubio ha trazado la larga elaboración de *Celos del aire* desde un día de 1935 en que se puso a escribir hasta completar la escena final poco antes del estreno en 1950[15]. Más de la mitad del primer acto fue escrita en Hollywood, y el autor completó este acto en Madrid en los primeros días de la Guerra Civil en julio de 1936[16]. Trabajando en México en 1939, poco antes de volver a establecerse en España, empezó el segundo acto. Una tarde, a fines de 1948, López Rubio leyó el primer acto a Guillermo Marín; le gustó tanto al actor que se apresuró a pedir una nueva lectura ante el director Cayetano Luca de Tena, quien formalmente pidió la obra para la siguiente temporada del Teatro

15. Fernández Cuenca, «El autor y su obra preferida», pág. 12.
16. Para representarse catorce años después, sólo hubo de sufrir un ligero corte y la adición de dos frases. («El autor y su obra preferida»).

Español. Ya estaba ensayándose la comedia cuando aún faltaba por escribir la escena final, porque ninguna de las que el dramaturgo había abocetado le satisfacía. De pronto, se le ocurrió una solución eficaz y digna: que fuesen los personajes viejos los que resolvieran el conflicto, derribando la muralla imaginaria entre su mundo y el de los jóvenes.

El germen de la pieza había consistido en cruzar dos adulterios de tal manera que al concluir uno empezara otro, y López Rubio ha declarado francamente que tenía que buscar un final distinto al que había trazado, amoldándolo a las circunstancias del teatro español de 1950. En la versión original se separaban las parejas, cada uno se iba con el otro, y se quedaban los viejos solos [17]. Aun suavizado, el final definitivo no parece sentimental ni ilógico; al contrario, es una escena de gran sutileza que subraya el tono de teatralidad que se ha establecido en el primer acto y continuado en el segundo. Se podría debatir, claro, que la comedia hubiera sido mejor en términos artísticos o dramáticos con el final pensado originalmente, pero habría perdido, tal vez, su hálito de poesía y su afirmación de la convivencia humana. La reconciliación de una de las dos parejas bajo la dirección de los viejos cuyo amor ha sobrevivido a pesar de las infidelidades del marido no disminuye la importancia de esta obra.

Pero *Celos del aire* es mucho más que un enredo divertido basado en un tema favorito de varios dramaturgos a través de los siglos. Con sus evocaciones sutiles de la relación entre la ilusión y la realidad (y de cómo influye la ilusión en la vida humana), su comprensión de la psicología femenina, y el primor de su diálogo, nos parece uno de los mejores ejemplos modernos de su género dramático. Concebida en la tradición de la alta comedia y proclamando su inspiración pirandelliana, es ante todo una celebración de la teatralidad de la vida que lleva el sello personal de López Rubio en su síntesis de ironía, poesía y humor. Como las

17. También en la entrevista publicada por Eladio Cortés, «Charla con José López Rubio», *Estreno* IV, 2 (Otoño 1978), López Rubio describe los cambios en el final de *Celos del aire*.
I. Ediciones

comedias inglesas de Oscar Wilde o Noel Coward y ciertas obras de Molnar y Anouilh del mismo género, *Celos del aire* se ha representado en los escenarios de muchos países en varios idiomas y ha sido adaptada para la televisión en España. Todavía puede deleitar si es representada por actores que comprenden las sutilezas de su diálogo y el juego entre realidad y ficción. Sus personajes no se encuentran atrapados en un ambiente de los años treinta o cincuenta, porque nunca existían en un tiempo específico. Como el autor nos dice en sus acotaciones, la acción sucede en «los últimos días del mes de agosto en un año de paz de nuestro tiempo» —una frase cuya ironía no se ha perdido en la penúltima década del siglo xx.

BIBLIOGRAFIA

a) Las siguientes obras teatrales han sido publicadas en la «Colección Teatro» de Escelicer en Madrid:

I. EDICIONES

a) Las siguientes obras teatrales han sido publicadas en la «Colección Teatro» de Escelicer en Madrid:
Celos del aire. Núm. 2, 1951.
Cena de Navidad. Núm. 7, 1952.
Una madeja de lana azul celeste. Núm. 14, 1952.
Alberto y Veinte y cuarenta. Núm. 30, 1952.
El remedio en la memoria. Núm. 48, 1952.
Estoy pensando en ti (un acto). Núm. 100, 1954.
La venda en los ojos. Núm. 101, 1954.
La otra orilla. Núm. 119, 1954.
El caballero de Barajas. Núm. 151, 1956.
Un trono para Cristy. Núm. 174, 1957.
De la noche a la mañana y La casa de naipes. Núm. 190, 1958.
Las manos son inocentes. Núm. 272, 1960.
Diana está comunicando. Núm. 331, 1962.
Esta noche, tampoco. Núm. 461, 1965.
Nunca es tarde. Núm. 464, 1965.
El corazón en la mano. Núm. 759, 1974.

b) Las siguietes obras han sido publicadas en la antología anual editada por Federico Carlos Sainz de Robles y publicada por Aguilar en Madrid:
Celos del aire, Teatro español, 1949-1950.
Veinte y cuarenta, Teatro español, 1950-1951.
Una madeja de lana zul celeste, Teatro español, 1951-1952.
La venda en los ojos, Teatro español, 1953-1954.
La otra orilla, Teatro español, 1954-1955.
Las manos son inocentes, Teatro español, 1958-1959.
Diana está comunicando, Teatro español, 1959-1960.
Esta noche, tampoco, Teatro español, 1961-1962.
Nunca es tarde, Teatro español, 1964-1965.

c) Ls siguientes obras se incluyen en *Teatro selecto de José López Rubio* (Madrid: Escelicer, 1969):
Celos del aire. La venda en los ojos. La otra orilla. Las manos son inocentes. Nunca es tarde.

d) Obra teatral publicada en inglés:
The Blindfold, traducida por Marion Holt. En *The Modern Spanisch Stage: Four Plays* (New York: Hill & Wang, 1970).

e) Otros libros:
Cuentos inverosímiles (Madrid: Rafael Caro Raggio, 1924).
Roque Six (Madrid: R. Caro Raggio, 1927).
Al filo de lo imposible (Madrid: Ediciones Guadarrama, 1971. (Selección de 16 comedias para televisión.)

II. ESTUDIOS

Beardsley, Theodore S., Jr., «The Illogical Character in Contemporary Spanish Drama», *Hispania*, XLI (diciembre, 1958), 445-49.
Carballo, J. Rof., et al. *El teatro de humor en España* (Madrid: Editora Nacional, 1966), 155-68.
Cortés, Eladio. «Charla con José López Rubio», *Estreno* IV, 2 (otoño de 1978), 6-11.
Holt, Marion P. *The Contemporary Spanish Theater, 1949-1972* (Boston: Twayne, 1975), 34-51.
— *José López Rubio* (Boston: Twayne, 1980).
Marqueríe, Alfredo. *Veinte años de teatro en España* (Madrid: Editora Nacional, 1959), 105-16.
Nora, Eugenio G. de. *La novela española contemporánea, 1927-1939* (Madrid: Editorial Gredos, 1968), 281-83.
Pasquariello, Anthony M., y Falconieri, John V. «Introduction» a *La otra orilla* (New York: Appleton-Century-Crofts, 1958).
Pinto, Alfonso, «Hollywood's Spanish-language Films: A Neglected Chapter of the American Cinema, 1930-35», *Films in Review*, XXIV, 8 (octubre de 1973), 474-83.
Rodríguez, Miguel Luis, «El ingenioso teatro de José López Rubio», *Índice* XII, 122 (febrero de 1959), 18.
Rodríguez Alcalde, Leopoldo, *Teatro español contemporáneo* (Ma-
Torrente Ballester, Gonzalo, *Teatro español contemporáneo* (Madrid:
Ruiz Ramón, Francisco, *Historia del teatro español, 2: Siglo veinte* (Madrid: Alianza Editorial, 1971), 353-55.
drid: Espesa, 1973), 169-72.
Ediciones Guadarrama, 1957), 288-96.
Valbuena Prat, Angel, *Historia del teatro español* (Barcelona: Noguer, 1956), 671-73.

CELOS DEL AIRE

COMEDIA EN TRES ACTOS

AUTOCRITICA

Cuando un autor presenta su obra en la escena, ya ha hecho, si es discreto, la autocrítica de ella en todos los repasos y cortes a que la ha sometido hasta momentos antes de su estreno. Lo que se salva de esta crítica es lo que queda para crítica ajena, más benévola, muchas veces, que la del autor mismo.

Ver la obra propia como si fuera de otro, con frialdad, sin paternal ceguera, es la práctica más saludable. Lo que dejamos en ella, porque nos parece que es lo indispensable, es, también, lo que hubiéramos estimado en otros, como tantas veces, hubiéramos deseado que lo de otros fuese nuestro, no por bueno, sino por afín. Con lo cual no sólo arriesgamos en el trance nuestra labor. Ponemos en pleito el mundo en que queremos vivir.

Celos del aire, por lo que yo puedo saber de ella, es una comedia simple, de escaso artificio, limpia en el tono y en las intenciones, hija directa de un modo de sentir y de ver y que quiere conseguir del espectador esa corriente de comprensión y de comunicación que abre las puertas de la confianza y nos anima, como en la vida, a desnudar nuestros sentimientos verdaderos sin rubor y a exponer, tal como se produce, el pretendido juego de nuestro ingenio.

Grave riesgo el del autor que quiere luchar con pocas armas o que, mejor, no quiere luchar y ofrece lo que tiene, con la mano derecha extendida, sin emplear para nada la izquierda, que es la de las habilidades.

A estos *Celos del aire,* comenzados hace ya algunos años, y terminados en las últimas semanas, a su deseada ventura —que no a su posible tropiezo— quiero asociar los pocos nombres que figuran en su reparto, los de estos excelentes actores del teatro Español. Guillermo Marín, Elena Salvador, Gabriel Llopar, Adela Carbone y José Capilla, y a dos elementos ajenos a la compañía titular, que vuelven al auténtico calor del teatro, desde las veleidades del cine, con su mejor arte, para esta comedia de tan afortunada interpretación: Pastora Peña y Alberto Romea.

Y, sobre todo, he de unir entrañablemente a quien está ligado a *Celos del aire* por lazos de estímulo, de afecto, de entusiasmo y de inteligente colaboración: a Cayetano Luca de Tena, que me decidió a terminar esta comedia y la ha puesto en escena, no sólo con sus facultades habituales, sino con más fe y más esperanza que su propio autor.

José López Rubio.

Estrenada en el Teatro Español, de Madrid, la noche del 25 de enero de 1950.

REPARTO

(Por el orden de aparición en escena)

DOÑA AURELIA ... ...   Adela Carbone.

DON PEDRO ... ...   Alberto Romea.

GERVASIO ... ...   José Capilla.

CRISTINA ... ...   Elena Salvador.

BERNARDO ... ...   Gabriel Llopar.

ISABEL ... ...   Pastora Peña.

ENRIQUE ... ...   Guillermo Marín.

La acción tiene lugar en un casa en el Pirinero navarro. Epoca actual

Decorado de EMILIO BURGOS

ACTO PRIMERO

Salón de una casa de campo, que se supone situada en el Pirineo navarro, muy cerca de la frontera francesa. Mezcla de castillo francés y de casa solariega del norte de España, con toques de casa de campo inglesa. Probablemente construida a mediados del siglo XVIII, ha sufrido después varias transformaciones a gusto de sus sucesivos habitantes. Las regulares proporciones del salón deben dar idea de la importancia del edificio.

Al fondo, tres grandes puertas de cristales que dan a una terraza que sirve de entrada a la casa. Al fondo, se supone un extenso parque. De estas tres puertas, una, por lo menos, ha de estar siempre abierta. A la izquierda, dos escalones y un gran arco sirven de paso al salón inmediato, del que arranca una escalera que conduce a las habitaciones del piso superior. A la derecha, una chimenea que, aunque no ha de estar encendida en ningún momento, constituye, por rutina, el rincón más acogedor de todo el salón y, por tanto, donde ha de desarrollarse gran parte de la comedia. Principalmente, Doña Aurelia y Don Pedro ocuparán casi siempre dos cómodos sillones que hay a ambos lados de la chimenea [1].

En el centro de la escena, una larga mesa con una lámpara grande de cristal con pantalla de tela. Otros cacharros sobre la mesa, entre ellos una vieja pistola. Delante de la mesa y frente al público, casi en primer término, un sofá de estilo inglés tan largo como la mesa. A un lado del sofá, una butaca y, delante de ella, una mesa pequeña con un

---

1. Estos sillones son las «butacas» de Don Pedro y Doña Aurelia cuando los viejos sirven de público para las intrigas de las parejas jóvenes.

cenicero. Ni retratos antiguos, ni tapices, ni armaduras, ni
panoplias. Un reloj de pie y, en las paredes, mapas antiguos
y grabados románticos, en colores, con marco y cristal. Una
gran esfera. Pocos libros. Junto a uno de los sillones de la
chimenea, un costurero. Mucho silencio. Mucho orden. Una
severidad de buen estilo.

Toda la comedia tiene lugar en los últimos días del mes
de agosto de un año de paz de nuestro tiempo.

(*Al levantarse el telón son más de las seis de
la la tarde. A partir del final de la segunda escena, y de modo apenas perceptible, irá bajando
la luz de un crepúsculo largo de verano. En dife-
rentes lugares de la escena, sobre mesas distintas, dos bandejas con servicios de té, de dos ta-
zas cada uno, que ya han sido usados. Una de
estas bandejas está en una mesita cerca de la
chimenea, a cuyos lados, en dos sillones, se encuentra* Doña Aurelia *y* Don Pedro. Doña
Aurelia *y* Don Pedro *pasan de los setenta
años. Visten de oscuro, con una elegancia cuida-
da y tradicional. Son dos personas de una exqui-
sita educación de otro siglo y de una correctísi-
ma seriedad, levemente cómica.* Doña Aurelia,
*sin gafas, hace una innecesaria labor de tapice-
ría.* Don Pedro *pega cuidadosamente en un álbum unos sellos de correo, que antes mira y re-
mira con una gran lupa. Hay unos instantes de
silencio. Por la izquierda entra* Gervasio. *Casi
no se le oye entrar. Es un viejo criado de la
casa. Viste de negro, con americana cruzada, cuello de pajarita y corbata de lazo blanco.* Gervasio *trae en la mano unas cartas y unos diarios
de Madrid envueltos en fajas de papel. De modo
muy marcado y visible, lee las direcciones y coloca, uno por uno, los sobres y los periódicos sobre una bandeja de plata que hay sobre la mesa
larga del centro de la escena.* Doña Aurelia *y*
Don Pedro, *que han advertido la entrada y la
operación de* Gervasio, *le siguen atentamente*

con la mirada. Cuando Gervasio *termina, dirige
su vista a la derecha.* Doña Aurelia, *entonces,
pregunta:)*

Doña Aurelia. —¿Ha venido el cartero, Gervasio?
Gervasio. *(Indeciso.)* —No sé qué decirle a la señora...
Doña Aurelia. *(Vivamente.)* —¡La verdad, Gervasio!
Don Pedro. *(Gravemente.)* —Siempre la verdad, y nada
más que la verdad.
Gervasio. *(Cohibido.)* —Es que... la verdad... El cartero,
claro...
Doña Aurelia. *(Impaciente.)* —¡No aprenderá usted nun-
ca a contestar!
Gervasio. *(Tristemente convencido.)* —No, señora. No he
podido acostumbrarme.
Don Pedro. *(A* Doña Aurelia, *con amable reconvención.)*
—Quizá sea que tú tampoco te has acostumbrado a pre-
guntar. En estos momentos difíciles en que vivimos,
cada pregunta debe llevar envuelta una respuesta ágil.
Una respuesta rápida, que no comprometa ni roce la
verdad.
Doña Aurelia. *(Con una sonrisa escéptica.)* —Por ejemplo...
Don Pedro. *(A* Doña Aurelia.*)* —Verás... *(Tose. A* Gervasio.*)* —¿Hemos tenido hoy correo, Gervasio?
Gervasio. *(Rápido y satisfecho.)* —No, señor. No han tenido correo los señores...
Don Pedro. *(A* Doña Aurelia.*)* —¿Lo ves? ¿Ves cómo
no es tanta la dificultad? *(Encantado de su fórmula.)*
No hemos tenido correo, y en paz. *(A* Gervasio.*)* Está
bien.

(Gervasio *se inclina e inicia el mutis por la
izquierda.)*

Doña Aurelia. *(A* Gervasio.*)* —Recoja el servicio de té,
Gervasio.
Gervasio. *(Después de mirar alternativamente los dos ser-
vicios de té que hay en escena.)* —¿Cuál, señora?
Doña Aurelia. *(Secamente, señalando al que hay cerca de*

ella.) —Este. No hay más servicio de té que éste en toda la habitación. ¿Es que ve usted otro?

GERVASIO. *(Muy seguro.)* —No. No, señora. *(GERVASIO recoge el servicio de té que le indicó DOÑA AURELIA. Antes de retirarse, pregunta:)* Señora...

DOÑA AURELIA. —Diga.

GERVASIO. *(Tímidamente.)* —Suponiendo... Nada más que suponiendo... que hubiese otro servicio de té...

DOÑA AURELIA. *(Severamente.)* —¡Gervasio!

GERVASIO. *(Disculpándose.)* —He dicho «suponiendo»...

DON PEDRO. *(Conciliador, a DOÑA AURELIA.)* Ha dicho «suponiendo»...

DOÑA AURELIA. *(Impaciente.)* —Bien. «Suponiendo», ¿qué?

GERVASIO. —¿Podría, suponiendo, llevarme ese otro servicio a la cocina?

DOÑA AURELIA. *(Nerviosa.)* —¡Hay cosas que no se preguntan!

DON PEDRO. *(A GERVASIO, amablemente.)* —Sí. Desde luego. Podría usted llevárselo.

DOÑA AURELIA. *(Vivamente.)* —Pero no pasa de ser una suposición...

GERVASIO. ¡Oh! No, señora.

>   (GERVASIO *toma el otro servicio de té que hay en la mesa. Al levantar la bandeja, se le cae al suelo una servilleta.)*

DOÑA AURELIA. *(Sin poderse contener.)* —¡Esa servilleta, Gervasio!

>   (GERVASIO *mira al suelo y, después, a* DOÑA AURELIA.)

GERVASIO. *(Ingenuamente.)* —¿Cuál, señora?

DOÑA AURELIA. *(Conteniéndose.)* —Suponiendo que...

DON PEDRO. *(Diplomático.)* —Como si la hubiera, recoja usted esa suposición de servilleta.

GERVASIO. —¡Ah! Como manden los señores.

(*Recoge la servilleta y sale por la izquierda
con las dos bandejas.* DOÑA AURELIA *suspira
como abrumada por el peso de una desgracia reciente.* DON PEDRO *la mira, y mueve !a cabeza
con reconvención cariñosa.*)

DOÑA AURELIA. (*Desolada.*) —¡No es posible!... ¿Te das
cuenta ahora de que no es posible?... Vamos a acabar
todos para volvernos locos...

DON PEDRO. (*Tranquilizándola.*) —No tanto, mujer.

DOÑA AURELIA. (*Protestando.*) —Claro, tú, ¡como tienes
tu colección de sellos! Te es más fácil. Te aíslas. Te
abstraes. No estás, como yo, en la realidad de todas las
horas...

DON PEDRO. —Sin embargo...

DOÑA AURELIA. (*Insistiendo.*) —Ya has visto, Gervasio...
No sé si es mala voluntad o qué... Y lo mismo que él,
todos los demás. *Suspira.*) Hemos querido ir demasiado
lejos...

DON PEDRO. (*Suavemente.*) —Tú fuiste quien...

DOÑA AURELIA. (*Triste.*) —Sí, ya sé que fui yo... No ne-
cesitas recordármelo... Pero...

DON PEDRO. (*Consolándola.*) —¡Vamos!...

DOÑA AURELIA. —Es mucho..., es mucho... ¡Y aún dos
meses más!...

DON PEDRO. —Ya han pasado los dos peores. ¿Te va a
faltar valor para otros dos?

DOÑA AURELIA. (*Muy abatida.*) —Para dos meses, no sé.
Dos meses, si se mira bien, no son nada. No se tienen
delante. No caben en la esfera del reloj ni en la hoja del
almanaque. Es a una hora a lo que yo le temo. A cada
hora. A la que empieza en cada minuto. Y los días, que
parece que no pasan, porque cada mañana nos amanece
el mismo día...

(DON PEDRO, *cariñosamente, toma una mano
de* DOÑA AURELIA.)

DOÑA AURELIA. (*Reaccionando vivamente.*) —Sí, ya sé
que fui yo... Pero no puedo hacerme a la idea de que

estamos solos en la casa, de que llevamos dos meses
solos...

DON PEDRO. *(Sonriendo.)* —Como siempre...

DOÑA AURELIA. —Más solos que nunca. Porque antes no
nos acordábamos de que estábamos solos, y ahora tenemos que recordarlo a cada instante...

DON PEDRO. *(Animándola.)* —Pero dentro de dos meses...

DOÑA AURELIA. *(Suspirando.)* —...Estaremos solos, completamente solos, tú y yo...

DON PEDRO. —Como ahora...

DOÑA AURELIA. *(Con un suspiro.)* —¡Va a parecerme mentira el día en que volvamos a estar en esta casa tan
solos como ahora!... *(DON PEDRO, con triste afecto,
acaria la mano a DOÑA AURELIA.)* Te digo que me va
a parecer mentira...

> *(Se detiene, en este momento, y hace a DON
> PEDRO un gesto significativo. Este vuelve la ca-
> beza hacia la izquierda. Callan los dos. Han oído
> pasos. Entra por la izquierda CRISTINA. Es una
> mujer joven. Viste un traje claro, de verano.
> Trae en la mano una americana de hombre, de
> color gris. No advierte, o finge no advertir, la
> presencia de DOÑA AURELIA y DON PEDRO.
> Llega hasta el centro de la escena, y, después de
> mirar con recelo hacia la izquierda, comienza a
> registrar ávidamente los bolsillos de la america-
> na que trae en la mano. DOÑA AURELIA y DON
> PEDRO fingen también no darse cuenta de la
> entrada de CRISTINA. Callan. Durante el resto de
> la escena, disimulan la presencia de extraños, y
> sólo cambian miradas en alguna ocasión. Entra,
> por la izquierda, BERNARDO. Es el marido de
> CRISTINA, y pocos años mayor que ella. Viste el
> pantalón y el chaleco del traje gris cuya ame-
> ricana está registrando CRISTINA. Trae en la
> mano una americana azul marino. Se detiene en
> la puerta, al ver a CRISTINA registrando su ropa.
> CRISTINA vuelve la cabeza y queda mirándole,
> sonriente.)*

BERNARDO. *(A* CRISTINA.*)* —Oye, Cristina, ¿te da lo mismo registrar los bolsillos de este otro traje? Quisiera acabar de vestirme.

CRISTINA. *(Con la mayor naturalidad.)* —Sí, dame.

(BERNARDO *se acerca a* CRISTINA, *cambian entre sí las dos americanas.* BERNARDO *se pone la que corresponde a su traje.* CRISTINA *deja la otra americana sobre la mesa, sin prestarle atención.)*

BERNARDO. *(Al advertir que* CRISTINA *no ha registrado la americana.)* —¡Ah! ¿No quieres seguir registrando?

CRISTINA. —¿Para qué? Ya habrás tenido tú la precaución de inspeccionarla antes de...

BERNARDO. —Ya... Es en ésta en la que esperabas encontrar... *(Señala su americana.)* En ésta, ¿no?

CRISTINA. *(Muy segura.)* No. No esperaba encontrar nada.

BERNARDO. —Entonces...

CRISTINA. *(Corrigiéndose, con una sonrisa.)* —Por si acaso...

BERNARDO. *(Sonriendo, a pesar suyo.)* —¿Qué buscabas? ¿Un retrato?... ¿Un mechón de pelo?... ¿Una flor mustia?...

CRISTINA. *(Asintiendo, con sencillez.)* —O una carta.

BERNARDO. —¡Ah! ¿Sigues creyendo que recibo cartas?

CRISTINA. —Ya, menos.

BERNARDO.—¿Te has convencido, por fin?

CRISTINA. —Miro siempre el correo, cuando llega, y así salgo de dudas.

BERNARDO. —Si no encuentras pruebas, eso quiere decir que no las hay.

CRISTINA. —Entendámonos. Eso quiere decir que no las encuentro; nada más.

(BERNARDO *mira a* CRISTINA, *conteniéndose. Después mira el correo, que quedó sobre la mesa.)*

BERNARDO. —¿Has visto ya el correo de hoy?

CRISTINA. —No. Ni sabía que había llegado...

(BERNARDO *toma las cartas que hay sobre la
mesa.*)

BERNARDO. —¿Quieres verlo conmigo?

CRISTINA. (*Con fingida indiferencia.*) —Bueno.

BERNARDO. (*Leyendo uno de los sobres.*) —Del Banco.
¿Alguna sospecha del Hispano-Americano?

CRISTINA. (*Riendo.*) —Ninguna. (BERNARDO *deja el sobre
en la bandeja.* CRISTINA *tiene una idea súbita. Vivamente.*) El Banco tiene empleadas, ¿no?

BERNARDO. —Supongo que sí.

CRISTINA. (*Casi pensando.*) —Una empleada puede usar un
sobre del Banco en que trabaja...

BERNARDO. —Seguramente. (*Vuelve a tomar el sobre y lo
mira con aire amenazador.*) Vamos a descubrir a la misteriosa señorita de la Sección de Cuentas Corrientes.

(*Va a romper el sobre.* CRISTINA *le detiene.*)

CRISTINA. (*Deteniéndole con el gesto.*) —¡No! ¿Para qué?

BERNARDO. —¿La abro o no?

CRISTINA. (*Después de dudar un instante.*) —Pues sí. (BER-
NARDO *abre el sobre. Sonriendo.*) Si te digo que no,
eres capaz de no abrirla.

BERNARDO. (*Mostrando el contenido del sobre.*) —Un estado de cuentas, sin trampa, sin perfume... Hay una fir-
ma ilegible, como todas las firmas importantes. ¿Basta?

CRISTINA. —Sobra. ¿Crees que no sabía yo que era un
estado de cuentas? (BERNARDO *la mira significativamen-
te.*) Sí, sí. No me mires así. ¿Cómo iba yo a pensar?...

(BERNARDO *toma otro de los sobres y lo observa.*)

BERNARDO. —De Australia... Tiene un sello verde, con un
un canguro. (DON PEDRO *se sobresalta, mira a* BER-
NARDO, *nervioso, hasta que* DOÑA AURELIA *le reconvie-
ne con la mirada. Toma su álbum y busca ansiosamen-
te. A* CRISTINA.) De tu hermano. ¿Quieres abrirla?

CRISTINA.—Luego. Dirá lo mismo que siempre.

(BERNARDO *arranca con cuidado el sello de la carta.*)

CRISTINA. —¿Qué haces?

BERNARDO. *(Alzando un poco la voz.)* —Arranco el sello de correos. ¿No te digo que es verde, con un canguro? Nunca hemos tenido uno como éste...

(DON PEDRO *ha comprobado en su álbum la falta de este sello, y vuelve a mirar hacia* BERNARDO, *con gran interés.*)

CRISTINA. —¿Lo vas a conservar?

BERNARDO. *(En voz alta.)* —No. Voy a tirarlo ahora mismo.

(*Lo deja, con mucho cuidado, en el extremo opuesto de la mesa.* DON PEDRO *sonríe, mirándole agradecido.*)

CRISTINA. —Creí que te había dado por coleccionar sellos.

BERNARDO. —No te asustes. Todavía no he llegado a ese extremo. (DON PEDRO *se resiente de las palabras de* BERNARDO, *y vuelve la cabeza, dignamente ofendido.* DOÑA AURELIA *sonríe con cierta mala intención.* BERNARDO *vuelve a la bandeja del correo y toma un diario envuelto en una faja de papel.*) El periódico está fuera de toda sospecha, ¿no?

CRISTINA. —Sobre todo, ¡tan difícil! Habría que leer entre líneas.

(BERNARDO *toma la última carta de la bandeja.*)

BERNARDO. *(Mostrando la carta.)* —Y ésta, de mi despacho... ¿Es suficiente el membrete?

CRISTINA. —El membrete, sí... Oye, ¿cuántos sobres encargas cada vez?

BERNARDO. *(Ofreciéndole la carta.)* —Cinco mil para el correo ordinario. Mil más para mi correspondencia amorosa. Ábrela.

CRISTINA. *(Con graciosa dignidad.)* —Nunca me permitiré abrir una carta tuya.

BERNARDO. —Si yo te la ofrezco...

CRISTINA. —Nunca leeré una carta dirigida a ti sin que tú la hayas leído primero.

BERNARDO. —Prefieres leerla cuando la descubras entre mis pañuelos, en un bolsillo, en el cajón de una mesa...

CRISTINA. —Sí. Es más decente.

BERNARDO. —¿Y si yo, después de leerla, la hago desaparecer; la quemo, por ejemplo...?

CRISTINA. —Tendría una prueba evidente en las cenizas...

BERNARDO. —¿Y si echase las cenizas al viento?

CRISTINA. —Quedaría el olor del papel quemado, que es muy delator.

BERNARDO. *(Un poco cansado del juego.)* —Bueno, y si la leo delante de ti, ¿me observarías?

CRISTINA. —Me pondría a hacer cualquier otra cosa, pero sí, te observaría discretamente.

BERNARDO. —¿Y si yo me turbaba?

CRISTINA. —Sospecha cierta.

BERNARDO. —¿Y si la leía con indiferencia?

CRISTINA. —Pensaría: disimula.

(BERNARDO *arruga el sobre en la mano, nervioso.)*

BERNARDO. —¡Todo por esta carta!

CRISTINA. *(Riendo.)* —Y estoy segura de que es de tu despacho...

(BERNARDO *suspira y pasea nerviosamente por la habitación.)*

BERNARDO. —¡No es posible! *(Se detiene, excitado, delante de* DON PEDRO, *y pregunta:)* ¿Se puede vivir con una mujer así?

DON PEDRO. *(Rápidamente, sin tiempo para reflexionar.)* —No, la verdad...

(Doña Aurelia *mira ferozmente a* Don Pedro. *Este, asustado, se encoge en el sillón.*)

Cristina. —¿A quién preguntas?
Bernardo. —A nadie. A mí mismo.

(*Un corto silencio.*)

Doña Aurelia. (*A* Don Pedro.) —¿Decías...?
Don Pedro. —No. Nada.
Doña Aurelia. —Me había parecido...
Don Pedro. —Pues no... No.

(*Otro corto silencio.* Bernardo, *un poco más
calmado, vuelve junto a* Cristina. *Le toma los
hombros entre sus manos.*)

Bernardo. —Bueno. Ya ha llegado el correo. No hay nin-
guna carta sospechosa.
Cristina. —Hay cartas que pueden no venir por correo.
Bernardo. —Entonces, ¿cómo?... Las cartas no vienen
por el aire.
Cristina. —Ya sí, Bernardo. Te olvidas del correo aéreo.
Bernardo. —Pero también lo trae el cartero.
Cristina. —¿Qué tiene que ver el cartero?
Bernardo. —¡Ah, vamos!... Tú piensas secretos conduc-
tos... Palomas mensajeras... Servidumbre sobornada...
Cristina. —Pasos cautelosos... Señas convenidas...
Bernardo. —Un sobre sin dirección... Un papel arru-
gado...
Cristina. —Escrito con zumo de limón...

(*Ríen los dos.*)

Bernardo. (*Riendo.*) —¡Qué tonta eres!
Cristina. (*Encogiéndose de hombros.*) —Ya ves...
Bernardo. (*Después de mirar hacia el jardín.*) —¿No quie-
res salir esta tarde?
Cristina. —No. No puedo. Tengo todavía que registrarte
los bolsillos de la bata, los del traje marrón...

(BERNARDO, *sonriendo, atrae a* CRISTINA *junto
a él.)*

BERNARDO. —Pero ven acá... Si fuera verdad lo que tú
sospechas, ¿iba a ser yo tan inocente como para dejar
mis cartas comprometedoras por los bolsillos, con un
pico asomando?

CRISTINA. —Los sitios menos sospechosos son los mejores
para esconder las cosas, no creas...

BERNARDO. —¿Es que esperas encontrar alguna carta?

CRISTINA. —¡Si tengo suerte!...

BERNARDO. —Pero ...¿qué carta?

CRISTINA. —Cualquiera. Tú sabrás.

BERNARDO. *(Exaltado.)* —¿Yo? *(Procura dominarse.)* ¿Tienes algún motivo para pensar que yo tengo una amante?

CRISTINA. —No. Motivo, ninguno.

BERNARDO. —¡Ah!

CRISTINA. —Pero tampoco tengo ningún motivo para pensar lo contrario.

BERNARDO. —¿Dónde? ¿Cómo?

CRISTINA. —A mí no me preguntes.

BERNARDO. —¿Aquí? Tú has elegido el sitio para pasar el
verano lejos de todo el mundo.

CRISTINA. —Aquí ya sé que no.

BERNARDO. —Menos mal... Por lo pronto, mi amante no
está aquí.

CRISTINA.—No te atormentes. No seas niño. Déjalo...
(BERNARDO *la mira.)* —Vamos a suponer que no existe.

BERNARDO. —Primero habría que suponer que existe.

CRISTINA. —Eso ya estaba supuesto.

BERNARDO. —Por ti.

CRISTINA. Naturalmente. Tú eres el único que no lo puede
suponer. Para ti, por fortuna, la cuestión no tiene sombras. Has de estar seguro de que tienes una amante...
o de que no la tienes.

BERNARDO. —¡No la tengo!

CRISTINA. —No te lo he preguntado.

BERNARDO. —Pero yo te lo digo.

CRISTINA. —No te pongas así. Al fin y al cabo, no tendría
nada de particular.

BERNARDO. —¿No?

CRISTINA. —Nada.

BERNARDO. —Entonces, ¿por qué te preocupa?

CRISTINA. —Por eso. Porque es fácil. Porque es natural. Porque es humano... Porque es posible. Porque la idea de la infidelidad os ensancha el mundo a vosotros los hombres, mientras a las pobres mujeres nos abre ante los pies los más negros abismos [2].

BERNARDO. —Los celos..., ¿verdad?

CRISTINA. *(Reaccionando con una sonrisa.)* —¿No te habías dado cuenta de que soy un poco celosa?

BERNARDO. *(Con fingida sorpresa.)* —No. ¿De veras?

CRISTINA. *(Con pasión.)* ¡Terriblemente!

BERNARDO. *(Irónicamente, compadecido.)* —¡Pobre! Sufrirás mucho...

CRISTINA. *(Sonriendo.)* —No. *(Queda pensativa un instante.)* Bueno, a ratos, sí. Mucho.

(Se miran un instante, en silencio.)

BERNARDO. *(Decidiendo tomarlo a broma.)* —Si yo puedo ayudarte en algo... *(CRISTINA le mira.)* A matar fantasmas, por ejemplo... Esa mujer, esa otra mujer, que no sabemos dónde está..., que no sabemos ni cómo se llama... *(CRISTINA va a interrumpirle.)* Déjame hablar. Esa mujer, ¿de qué vive?

CRISTINA. —¡Qué sé yo! Eso es cuenta de ella... y tuya, en todo caso.

BERNARDO. —Y tuya.

CRISTINA. —¿Mía?

BERNARDO. —Si yo le doy dinero a ella..., ¿de dónde sale ese dinero?

CRISTINA. —¿Cómo quieres que yo lo sepa?

BERNARDO. —Mis cuentas, nuestras cuentas, son bien claras...

---

2. López Rubio critica el criterio moral que permite más libertad al hombre que a la mujer. Con frecuencia el dramaturgo se refiere en sus comedias a la desigualdad de la mujer en la sociedad española.

CRISTINA. *(Dignamente.)* —Lo último que haría yo sería inspeccionar tus cuentas.

BERNARDO. —¿No lo harías, de verdad?

CRISTINA. —Sí, pero te digo que sería lo último... Aparte de que no veo la necesidad de que tengas que darle ningún dinero a esa mujer.

BERNARDO. —Me lo da ella a mí, entonces...

CRISTINA. —No. A ti no te hace falta el dinero. Pero puede que tampoco le haga falta a ella.

BERNARDO. —¡Ah! ¿Me quiere por mí, mismo, sin ningún interés?

CRISTINA. —¿Por qué no? Cuando nos casamos no tenías nada... ¿No te quise yo sin ningún interés? ¿No te sigo queriendo por ti mismo?

BERNARDO. *(Sonriendo, halagado.)* —Creo que sí.

CRISTINA. —¡Tonto! Pues ella, igual...

BERNARDO. —Igual, no. Tú te casaste conmigo.

CRISTINA. —Porque estabas soltero. A ella le ha tocado la peor parte... ¡Quizá también esté casada!

BERNARDO. —¿Otro drama?

CRISTINA. —El mismo drama, con más personajes[3].

(CRISTINA *queda pensativa.*)

BERNARDO. —¿En qué piensas?

CRISTINA. —¡Si la quiere tanto, tanto como yo a ti!...

BERNARDO. *(Gritando, exasperado.)* —¿Quién?

CRISTINA. —El marido.

BERNARDO. *(Gritando.)* —¿Qué marido?

CRISTINA. —El de tu amiga, ¿cuál va a ser?

(BERNARDO, *desesperado, va a sentarse en el sofá.)*

BERNARDO. —¡Bueno!

(CRISTINA *va a sentarse en el brazo del sofá, junto a* BERNARDO. *Pone su brazo sobre el hombro de éste, con una ternura casi maternal, como consolando a un niño.)*

---

3.   Una de las referencias a la teatralidad de la vida que se notan continuamente en esta comedia y en otras obras de López Rubio.

CRISTINA. —Vamos a ver... Si tú tuvieras una amante, no me lo ibas a decir, ¿eh? *(Un silencio.)* Di...

BERNARDO. *(Sordamente.)* —¡Claro que no!

CRISTINA. —¿Ves tú? Me dirías que no, como si no la tuvieras...

BERNARDO. *(Protestando, enojado.)* —¡No la tengo!

CRISTINA. —Eso dices, y eso dirías, en el mismo tono, con las mismas cejas arrugadas... Lo mismo siendo verdad que mentira. ¿Cómo voy a saber nunca por ti si me engañas?

BERNARDO. —¿Preferirías que te lo confesase?

CRISTINA. *(Aterrada.)* —¡No, por Dios! *(Acercando a él su cara, un poco emocionada, mirándole a los ojos.)* ¡No me lo digas nunca! ¿Sabes? Aunque sea verdad, aunque yo lo sepa, aunque lo esté viendo por mis propios ojos, tú no me lo digas...

BERNARDO. *(Bromeando de nuevo.)* —Muy bien... ¿Estás contenta así? ¿Te tranquiliza el que yo no te lo diga?

CRISTINA. —No. ¿No ves que me dejas la duda entera? *(BERNARDO deja caer su cuerpo hacia adelante, bajando la cabeza. Cruza sus manos, y las aprieta, desesperado. CRISTINA le acaricia el pelo cariñosamente.)* No te registraré más en los bolsillos, si te molesta... *(BERNARDO calla. DOÑA AURELIA y DON PEDRO han seguido con la mirada el final de la escena, ya sin disimulo. Un corto silencio. CRISTINA alza la cabeza, percibiendo algún ruido en el jardín.)* ¿Has oído?

BERNARDO. —¿Qué?

CRISTINA. —¡Calla! *(Escucha.)* Sí. Son ellos. *(BERNARDO la mira.)* Isabel y Enrique...

(BERNARDO se pone en pie. Los dos se dirigen a la puerta del fondo.)

BERNARDO. —¡Ah! Es verdad.

(Salen a la terraza. Miran hacia la derecha.)

CRISTINA. *(Casi gritando.)* —¡Bien venidos!

(CRISTINA y BERNARDO *salen de escena. Se
oyen voces confusas.* DON PEDRO *se levanta cau-
telosamente y va hacia donde está el sello de
correos que* BERNARDO *dejó sobre la mesa.* DOÑA
AURELIA *le sigue con la mirada.*)

DOÑA AURELIA. —¿Qué vas a hacer? (DON PEDRO *se de-
tiene, cuando casi ha alcanzado el sello con la mano.*)
No te pertenece.
DON PEDRO. —Alguien lo ha tirado aquí... ¿No lo ves?
¡Sabe Dios el tiempo que llevará!... No es de nadie.
Es mío. Es verde, y con él completo la serie. (*Mientras habla, ha tomado el sello y, admirándolo, vuelve
con él a la chimenea. Se oyen voces en el jardín. A*
DOÑA AURELIA, *inquieto.*) ¿No sería mejor que nos
fuésemos?
DOÑA AURELIA. (*Dignamente.*) —¿Por qué? Estamos en
nuestra casa. Estamos solos. No esperamos a nadie. ¿Tú
crees que puede venir alguien?
DON PEDRO. —No, no. Pero por lo mismo... ¡Estamos tan
solos! La caída del sol se siente más, es más irreparable
bajo techado... Además, no sé, tengo la impresión de
que, si nos quedamos aquí, dentro de unos instantes
nuestra soledad va a ser mucho mayor.

(DOÑA AURELIA *deja su labor y se pone en
pie.*)

DOÑA AURELIA. —Vamos, si quieres... Pero no son más
que manías tuyas.
DON PEDRO. (*Asintiendo.*) —Claro, claro...

(*Toma de un brazo a* DOÑA AURELIA *y la
conduce hacia la puerta del fondo.*)

DOÑA AURELIA. (*Deteniéndose.*) —Por el «hall»[5], si te
parece. El jardín está demasiado solitario al atardecer...
DON PEDRO. —¡Ah! Sí. Es verdad.

(*Salen lentamente, con dignidad, por la puerta de la izquierda. Precedidos por el rumor de*

sus voces, entran CRISTINA y BERNARDO *con*
ISABEL y ENRIQUE. ISABEL y ENRIQUE *son un
matrimonio de la misma edad, aproximadamen-
te, que* BERNARDO y CRISTINA. *Visten trajes de
viaje, de tonos claros.* ISABEL *trae sombrero, o
un pañuelo a la cabeza. Un bolso grande y un
abrigo de verano al brazo.* ENRIQUE, *un pantalón marrón y una americana a cuadros. Al brazo,
un impermeable y una gorra en la mano. Han
llegado en automóvil, después de un viaje de
cuatro o cinco horas, con paradas para almorzar
y admirar el paisaje.)*

ISABEL. *(Entrando.)* —...el camino también es precioso...
ENRIQUE. —Hemos parado cuatro o cinco veces.
ISABEL. —Seis.
ENRIQUE. —Es verdad. Siete. En Vera, para echar aceite.
ISABEL. —Gasolina.
ENRIQUE. —Gasolina y aceite.
ISABEL. —A mí no me dijiste nada de aceite...
ENRIQUE. —Se lo dije al hombre de la estación, que me
    parece más práctico que decírtelo a ti. Tú no hubieras
    podido hacer nada en ese caso.
ISABEL. —¿Tú qué sabes? A lo mejor...
CRISTINA. *(Riendo.)* —Lleva razón Isabel. Los hombres
    nunca contáis con nosotras para nada. *(A* ISABEL.) ¿Os
    gusta el parque?
ISABEL. —¡Precioso!
ENRIQUE. —Es Francia pura.
ISABEL. —Creo que debemos estar al lado...
CRISTINA. —Pegaditos a la frontera.
BERNARDO. —Tanto, que creo que parte de la finca está
    en territorio francés.
ENRIQUE. —Espero que no necesitaré pasaporte para entrar
    en el cuarto de baño.
BERNARDO. —Eso, no creo. Pero el agua de uno de los
    grifos es francesa.
CRISTINA. —La fría. La caliente es siempre española.

4

ENRIQUE. *(Asomándose al fondo.)* —De veras, huele a Francia... A perfume..., a cocina..., a gramática...

CRISTINA. —Hay días. Cuando cambia el viento, llega aire de mar.

BERNARDO. *(A* ENRIQUE.*)* —Dime. ¿Cómo está?

ENRIQUE. —¿Quién?

BERNARDO. *(Con cierta nostalgia.)* —El mar.

ENRIQUE. —Pues como siempre. Un poco más viejo. *(A* ISABEL.*)* ¿No le has notado tú más arrugas?

BERNARDO. —Quiero decir San Sebastián, Biarritz, San Juan de Luz...

ENRIQUE. —¡Ah! Tú eres de los que llaman mar al agua que se ve desde los casinos...

ISABEL. —¡Hijo, lo has preguntado con una cara!

CRISTINA. —Verdaderamente. Como si estuvieras aquí preso.

BERNARDO. —No. Preso...

CRISTINA. —Vamos, secuestrado...

BERNARDO. —Tampoco.

CRISTINA. *(A* ISABEL.*)* —¡No iréis a creer que yo...! Y si fuera así, no me negaréis que el sitio vale la pena...

BERNARDO. *(Sin entusiasmo.)* —Eso, sí.

ENRIQUE. —Pero un poco retirado, también.

ISABEL. —¡Y de un difícil!...

ENRIQUE. —Nos hemos equivocado de camino tres veces.

ISABEL. —Cuatro, Enrique.

ENRIQUE. —Tres. Cuando el pastor, el que se confundió fue el pastor, que nos dijo que era por la derecha.

ISABEL. *(A* CRISTINA.*)* —¿Y estáis aquí los dos solos?

CRISTINA. —Completamente solos.

ISABEL. —¡Sin decir nada a nadie!

ENRIQUE. —Eso, sí. El secreto lo habéis llevado bien, no puede negarse. Cuando os hemos escrito nos sentíamos casi espías, y salíamos de noche, con barbas postizas, a echar la carta en el buzón.

ISABEL. —Y hemos tenido que invitarnos nosotros mismos...

CRISTINA. —¡Por Dios! No digas. Ya sabes que vosotros no necesitabais invitación...

ENRIQUE. *(Por* ISABEL.*)* —Esta rabiaba por conocer vuestro escondite. Si no se me ocurre escribir que veníamos, creo que le da algo.
ISABEL. —No inventes. Fuiste tú el que lo decidió espontáneamente.
ENRIQUE. —Sí. Es verdad. Pero ¿quién decidió que lo decidiera yo espontáneamente?
ISABEL. *(A* CRISTINA.*)* ¿Habrán subido ya los equipajes?
CRISTINA. —Sí. ¿Quieres arreglarte un poco?
ISABEL. —Sí *(A* ENRIQUE.*)* ¿Vienes?
ENRIQUE. —Ahora iré.
CRISTINA. —Cuando quieras. Dame.

(CRISTINA *toma el abrigo que* ISABEL *dejó sobre una butaca, y van las dos hacia la puerta de la izquierda.)*

ENRIQUE. *(A* ISABEL.*)* —No tardes, por si se come temprano en este castillo.
CRISTINA. —Cuando Isabel esté.
ENRIQUE. *(A* ISABEL.*)* —Entonces, no tardes.
CRISTINA. *(A* ISABEL, *saliendo por la izquierda.)* —Por aquí. Este es el «hall»... Las habitaciones están arriba...
ISABEL. *(Saliendo.)* —¡Si es un verdadero palacio!...

(*Salen las dos.* ENRIQUE *curiosea por la habitación.* BERNARDO *se sienta en el sofá.)*

ENRIQUE. —Un verdadero palacio, sí, señor... ¡Y este silencio! Yo, cuando salgo de Madrid con intención de trabajar, sólo encuentro habitaciones en los primeros pisos de los hoteles, con todos los ruidos imaginables.
BERNARDO. *(Suspirando.)* —¡Quién me los diera! *(*ENRIQUE *le mira, extrañado.)* Los ruidos. Todos los ruidos imaginables. Los tranvías, los claxons, los altavoces... Los vendedores de sardinas frescas..., de flores frescas..., de periódicos frescos...
ENRIQUE. *(Que no ha dejado de observarle.)* —¿Tanto te aburres?
BERNARDO. —Más.

ENRIQUE. —¡Pues con marcharte...!
BERNARDO. —Eso se dice muy pronto.
ENRIQUE. —¡O con no haber venido!...
BERNARDO. —Eso se dice muy tarde.
ENRIQUE. *(Después de observar a* BERNARDO *un instante.)*
—Como retirado, está retirado... Ni una casa en tres
kilómetros. Ni gente en la carretera. Bueno, ni casi ca-
rretera. Y en el mapa tampoco está.

*(Saca del bolsillo del impermeable un mapa
de carreteras.)*

BERNARDO. —En ese mapa, claro que no. Es un mapa para
automovilistas. *(Se levanta y va hacia un mapa antiguo
que hay, con marco de cristal, en la pared.)* Pero mira
aquí... (ENRIQUE *se acerca al mapa.)* En este mapa del
siglo dieciocho sí está.
ENRIQUE. —¡Es verdad! El Bidasoa..., Francia..., el Pirineo... Tus indicaciones. En realidad, ¿esto dónde está?
BERNARDO. —En el siglo dieciocho. ¿No lo ves? Eso es lo
grave: Un hombre de hoy se encuentra perdido en un
lugar de hace dos siglos, que no tiene existencia real
en la actualidad. El hombre de este siglo se desespera,
se asfixia aquí. O se somete al pasado, o muere...
ENRIQUE. —¿Has probado a someterte?
BERNARDO. —Sí. Es inútil.
ENRIQUE. *(Volviendo a sentarse en el sofá.)* —¿Cuándo te
mueres?
BERNARDO. —Sí, ríete. Aquí te quisiera yo ver.
ENRIQUE. —Aquí me tienes.
BERNARDO. —Digo en mi caso.
ENRIQUE. —¿Cuál es tu caso?
BERNARDO. *(Sin contestar.)* —Vienes de donde hay gente.
Todavía tienes reservas. Traes ruidos contigo. Te que-
dan restos de conversaciones en las arrugas de la ropa...
(ENRIQUE, *instintivamente, se sacude el traje con la ma-
no.)* y en la retina te quedan aún rostros humanos..., y
hasta multitudes...
ENRIQUE. *(Filósofo.)* —Muchas veces se encuentra uno más
solo en medio de una manifestación que en el desierto...

BERNARDO. —Esa es la soledad que yo necesito... La soledad en medio de un millón de habitantes.

ENRIQUE. —¿Quién dio con esta casa?

BERNARDO. —Cristina. ¿Quién iba a ser? ¿Quién puede aislarme, desasirme, hacer el vacío a mi alrededor, más que ella? Encontró un anuncio en un periódico... Una casa con no sé cuántas hectáreas de parque y de bosque, antigua residencia de verano no sé si de algún rey de Navarra... Veinte habitaciones, cocheras, capilla... A un precio inverosímil...

ENRIQUE. —¿Todo para vosotros solos?

BERNARDO. —Para nosotros dos solos. *(En este momento entran por la puerta del fondo* DOÑA AURELIA *y* DON PEDRO. *Vienen de su paseo.* ENRIQUE *se sorprende al verlos entrar. Mira a* BERNARDO. *La escena ha empezado a quedar en sombras.* BERNARDO *no se sorprende.* ENRIQUE, *inquieto, se pone en pie.)* ¿Dónde vas? *(*ENRIQUE *indica con el gesto a* BERNARDO *la presencia de los dos ancianos.* BERNARDO *mira en la dirección que le señala* ENRIQUE, *y luego mira a éste, interrogante, como si no hubiera visto nada.)* ¿Qué? *(*DOÑA AURELIA *y* DON PEDRO *llegan hasta sus sillones.* DOÑA AURELIA *recoge su costura, que guarda en una bolsa.* DON PEDRO *toma sus papeles.)* ¿Es que has visto algo?

ENRIQUE. *(Sentándose, preocupado.)* —No.

> *(*ENRIQUE *no deja de mirar, con recelo, a la derecha.)*

BERNARDO. *(A* ENRIQUE.*)* —Qué, ¿has trabajado mucho?

ENRIQUE. *(Preocupado.)* —No. *(Reacciona, volviendo la cabeza.)* ¿Decías...?

BERNARDO. —Que si has trabajado en estos dos meses...

ENRIQUE. *(Preocupado.)* —Ya...

BERNARDO. —No me haces caso.

ENRIQUE. —Sí.

BERNARDO. —Te preguntaba si has hecho algo nuevo.

ENRIQUE. —¿Y qué te he contestado?

BERNARDO. —Nada.

ENRIQUE. —¿Qué tengo que contestar? No conozco el juego.

BERNARDO. —¡Que si tienes hecho algo!

ENRIQUE. —¡No! *(Reacciona, en otro tono.)* ¡Sí! He terminado un drama que me ha salido muy gracioso. Y he empezado una comedia de fantasmas...

BERNARDO. —¿Tú crees en los fantasmas?

ENRIQUE. *(Con recelo.)* —¿Y tú?

BERNARDO. *(Muy seguro.)* —Yo, no.

ENRIQUE. *(Cerrando los ojos.)* —Yo, tampoco. *(Después de pensar un instante.)* Oye..., ¿no habéis notado nada raro en esta casa?

BERNARDO. —¿Raro?

ENRIQUE. *(Vuelve a mirar hacia la derecha.)* —Algo así como...

> *(DOÑA AURELIA y DON PEDRO cruzan lentamente la escena y salen por la izquierda. EN-RIQUE, nervioso, ha vuelto a ponerse en pie y los sigue con la vista.)*

BERNARDO. *(Tranquilamente.)* —¿Como qué?

ENRIQUE. —Pero... ¿no ves?

BERNARDO. —No.

> *(DOÑA AURELIA y DON PEDRO salen de escena, por la izquierda. La escena, casi en sombras, ha ayudado al efecto que su salida ha producido en ENRIQUE.)*

ENRIQUE. —Pero ...¿no has visto de verdad?

BERNARDO. —Sí. Son los dueños de la casa.

ENRIQUE. —¿Vienen todas las noches?

BERNARDO. —Todas.

ENRIQUE. —¿Cuándo se han muerto?

BERNARDO. —Todavía no se han muerto ninguna vez. *(BER-NARDO se levanta y enciende la lámpara que hay sobre la mesa.)* Sí, hombre. Son los dueños de la casa. Los que nos la han alquilado.

ENRIQUE. —¿Estás enfadado con ellos?

BERNARDO. —No. ¿Por qué?
ENRIQUE. —¡Como no los saludas!
BERNARDO. —Es que no los veo.
ENRIQUE. —Pues mira: si a esa distancia no ves, yo puedo recomendarte un perro de confianza...
BERNARDO. —Cristina tampoco los ve.
ENRIQUE. —¡Ah! ¿Tampoco?... Bueno. ¿Dónde está la gracia?
BERNARDO. —No hay gracia ninguna. Hay un convenio nada más. Los dueños de esta posesión, gente que tuvo una gran fortuna, se encuentra en situación algo apurada. Se les ocurrió alquilar la casa durante el verano. Como es enorme, decidieron alquilar sólo una parte de ella. Los inquilinos y ellos podrían vivir completamente separados. En realidad, no hay más habitaciones comunes que este salón y el «hall». Y luego, el parque. ¿Comprendes?
ENRIQUE. —Creo que sí. Sigue.
BERNARDO. —Para esta gente, apegada a sus escudos, a sus paredes y a sus tradiciones, el convertirse, por necesidad, en alquiladores de sus dominios constituye algo así como una desgracia. A nosotros, el ocupar una casa ya habitada con otras personas alrededor, nos quitaba independencia, intimidad... Entonces a la señora se le ocurrió una solución brillantísima...
ENRIQUE. —Vamos a ver...
BERNARDO. —Que nos ignorásemos mutuamente. Que no existiéramos los unos para los otros. Que nos negásemos. Decidimos no vernos ni oírnos. Hacer nuestras vidas como si ellos y nosotros estuviésemos solos en la casa. Somos recíprocamente invisibles. Cristina y yo hemo alquilado una casa vacía. ¿Comprendes ya?
ENRIQUE. —Sí.
BERNARDO. —Pues no es muy fácil.
ENRIQUE. —Es que yo, aunque escribo para el teatro, soy muy despejado. En una palabra, que cada cual hace su vida y no tenéis que saludaros ni hablar del tiempo. Que si os cruzáis, no os veis, y seguís hablando de vuestros asuntos. *(Se detiene.)* Oye..., ¿habláis de vuestros asuntos?

Bernardo. —Sí.

Enrique. —¿Con toda libertad?

Bernardo. —Con toda libertad.

Enrique. —¿Y ellos?

Bernardo. —Lo mismo. El acuerdo se ha cumplido fielmente por ambas partes...

Enrique. —Bueno, pero ¿y nosotros?

Bernardo. —Vosotros, igual. Sois nuestros invitados y pertenecéis a nuestro grupo.

Enrique. —Y no podemos ver tampoco a esos señores ni ellos a nosotros, ¿no es eso?

Bernardo. —Eso es.

Enrique. —Y en vista de que el sitio era estupendo... y apartado..., y con la ventaja de que el casero era invisible, alquilaste la casa por cuatro meses.

Bernardo. —La alquiló Cristina. Fue un hecho consumado. En cuanto vio que podíamos estar completamente solos...

Enrique. —Cristina lo mismo, ¿eh?

Bernardo. —Igual... O peor.

Enrique. —¿Nuevos celos?

Bernardo. —Los mismos celos, que, con la vida sana del campo, se le han desarrollado mucho.

Enrique. —¿Eso es lo que tú llamabas antes tu caso?

Bernardo. (Pensativo.) —No sé. Seguramente.

Enrique. (Después de un corto silencio.) Así es que...

Bernardo. (Con exaltación creciente.) —¿No lo ves? Me aísla, me cerca, me envuelve... Vigila mis actitudes, mis gestos, mis movimientos... A veces no me atrevo ni a pensar, porque tengo la sensación de que está calando en mis pensamientos. Mis horas, que en Madrid son casi todo el tiempo suyas, aquí lo son enteramente. Cuando callo, cubre de sospecha mi silencio. Cuando duermo, vigila hasta el ritmo de mi respiración y mide el calibre de mis suspiros.

Enrique. —¿Y si roncas?

Bernardo. (Nervioso.) —¡Yo no ronco! Ni duermo siquiera... ¿Quién duerme sabiendo que alguien está de guardia a la misma puerta de nuestros sueños, en espera, no ya de oír, sino hasta de ver un nombre dibujado en los labios?...

ENRIQUE. *(Que ha estado pensando en otra cosa mientras tanto.)* —¿Con motivo?

BERNARDO. —¿Qué dices?

ENRIQUE. —Digo si Cristina tiene motivos para... ¿Tú tienes algún lío?

BERNARDO. —Hombre, ya sabes que no.

ENRIQUE. —Yo no sé nada.

BERNARDO. —Eso se sabe siempre...

ENRIQUE. —«Casi» siempre...

BERNARDO. —¿Por qué iba yo a ocultarte...? Entre tú y yo no hay secretos.

ENRIQUE. *(Mirándole, con sospecha.)* —¿Te he contado yo lo de Margarita?

BERNARDO. —¿Qué Margarita?

ENRIQUE. —No importa qué Margarita... ¿Te lo he contado o no?

BERNARDO. —No recuerdo...

ENRIQUE. *(Ayudándole a recordar.)* —Sevilla... Azahares del Alcázar... Manzanilla en la Venta de Antequera... Pinchazo en el kilómetro nueve...

BERNARDO. —No caigo...

ENRIQUE. *(Tranquilizándose.)* —No te lo he contado. *(Con una nueva duda.)* ¿Y lo de la condesa?... Nápoles... Vesubio... «¡Oh Mari!... ¡Oh Mari!...» Pescado frito en Santa Lucía. *(Mira a* BERNARDO *fijamente.)* ¿Y lo de Tootsie, en California?... Ocean Park... Luna sobre el Pacífico... Perros calientes y zarzaparrilla... Tiro al blanco y montaña rusa...[4] *(Ante el gesto de* BERNARDO, *se indigna.)* ¡No te he contado nada! No te he contado nunca nada ni tú a mí. ¡Eres un sinvergüenza!

BERNARDO. —Porque nunca he tenido nada que contarte.

ENRIQUE. —¿De veras? *(Queda pensativo.)* Entonces, el

---

4. Además de ser una leve sátira del donjuanismo español, estas líneas sugieren la idea del desdoblamiento de la personalidad o personalidad múltiple. Enrique describe sus aventuras románticas en España (Sevilla), Italia (Nápoles) y los Estados Unidos (California). Es capaz de «hacer el papel» de amante en varios países, adaptándose a las distintas costumbres.

sinvergüenza soy yo...
BERNARDO. —Quizá.
ENRIQUE. —Y tampoco... Un hombre puede estar con otra
  mujer, y, sin embargo, no engañar a la suya... En cam
  bio, otras noches que mi mujer me creía seguro a su
  lado, la he estado engañando con el pensamiento, con
  la voluntad, que es lo que importa. ¡Ah! Las mujeres
  pueden estar tranquilas. ¡Hacen falta tantas circunstancias para lograr la infidelidad perfecta!... Tendríamos
  que poner en juego para ello todos los sentidos, todas
  las potencias del alma, los músculos, los nervios, los
  poros, el bachillerato ...¿Quién es capaz de semejante
  esfuerzo? Sin contar con el arrepentimiento. Yo, todos,
  hemos tenido siempre aunque sea una aguja de arrepen
  timiento. Hombre que se dice: «La verdad es que soy
  un miserable», ése no engaña, aunque quiera. Deja una
  puerta entreabierta, y por ella se salva de la infidelidad.
  Las mujeres deben estarnos agradecidas.
BERNARDO. —¿La tuya también?
ENRIQUE. —Es que tu mujer, si es verdad lo que dices,
  debía ponerte en un altar...
BERNARDO. —Pues ya ves... Me consume la vida, y se consume ella misma.
ENRIQUE. —Los celos matan.
BERNARDO. —Con dos filos. A ella, según mis cálculos, le
  quedan energías para unos años. Pero yo... ¡Yo no
  puedo más!

      (Vuelve a quedar pensativo, abrumado, con
      la cabeza inclinada hacia adelante. ENRIQUE pien-
      sa también, pero recostado en el sofá, mirando
      al techo. ENRIQUE se echa a reír. BERNARDO alza
      la cabeza y le mira sorprendido.)

ENRIQUE. (Riendo.) —¡Si quisieras!
BERNARDO. —¿Qué? ¿De qué te ríes?
ENRIQUE. —¿Quieres curar a tu mujer? (Gesto de BER-
  NARDO.) ¿Pero quieres de veras, de un modo radical,
  para siempre...? ¿Quieres que deje de dudar si la en-
  gañas?

BERNARDO. —¿Qué tengo que hacer?

ENRIQUE. —Engañarla.

BERNARDO. —¡Hombre!

ENRIQUE. —Preferible es afrontar de una vez el daño que se teme a temerlo siempre...

BERNARDO. —Eso lo podría firmar Shakespeare.

ENRIQUE. —Ya lo ha firmado. Es de él. *(Convenciéndole.)* Cúrala de su mal, de sus celos, de sus temores, con la verdad... Ponle la evidencia delante de los ojos... O se cura o perece. (BERNARDO, *asustado, va a decir algo.)* Pero se cura, no tengas cuidado. De celos todavía no se ha muerto nadie.

BERNARDO. —De amor...

ENRIQUE. —De amor, menos. Romeo y Julieta, fíjate tú si se querían. Pues tuvieron que rematarse con venenos y puñales... No hagas caso. ¿Qué es lo que la consume? ¿La sospecha? Pues en cuanto tenga la seguridad, no habrá lugar para la sospecha...

BERNARDO. —Es que la seguridad sería mucho peor que la sospecha. Y definitiva.

ENRIQUE. —Es que puede ser una seguridad sobre bases falsas. Tú puedes fingir que la engañas, ¿comprendes? Ella debe descubrir que tú tienes una amante.

BERNARDO. —¡Si no la tengo!

ENRIQUE. —Tienes una amante, pero una amante supuesta, que sólo existe para que Cristina la descubra...

BERNARDO. —La descubre y me mata.

ENRIQUE. —¡Ah! ¡Si te mata...! Es posible, claro, pero... ¿no dices que ya no puedes más? Y si no te mata, le dices que todo había sido un juego. Si te mata, se lo diremos nosotros. Eso la consolará mucho. Hay que empezar mañana mismo.

BERNARDO. —¡Hasta encontrar esa amante especial!...

ENRIQUE. —Es lo de menos. Por el momento bastará con algunos indicios.

BERNARDO. —Pero algún día esa sospecha tendrá que hacerse carne. Hará falta una mujer.

ENRIQUE. —Ya la buscaremos.

BERNARDO. —¿Dónde?

ENRIQUE. *(Pensativo.)* —Es difícil, sí... Aquí no hay más mujeres que la tuya y... *(Súbitamente inspirado.)* ¡la mía! ¡Ya está! ¡La mía!

BERNARDO —*(Saltando en el asiento.)* ¿Cómo?

ENRIQUE. *(Animadísimo.)* —¡Sí, hombre!... Es perfecto. Tú engañas a Cristina con mi mujer...

BERNARDO. —Pero ¿no te das cuenta? ¡Es un poco...!

ENRIQUE. ¡Tratándose de nosotros!... Amigos de toda la vida. Nuestras mujeres, amigas también... *(Encantado.)* Eso le da al caso un matiz todavía más siniestro.

BERNARDO. *(No muy convencido.)* —Habría que contar primero con Isabel...

ENRIQUE. —Corre de mi cuenta. Se prestará a todo. No la conoces. Y hará su papel maravillosamente. Para eso es única. ¡Tiene una imaginación!... Me ha dado hechas muchas protagonistas. Al principio, cuando la conocí, era la Teodora de «Majestic»... ¿Tú te acuerdas de «Majestic»?

BERNARDO.—¿Un hotel?

ENRIQUE. *(Molesto.)* —Una comedia mía, imbécil. Me casé con ella, y entonces se convirtió en la Leocadia de «Amor a plazos». *(Con rencor.)* Otra comedia mía. A los dos años era una mujer distinta. Fría, desvanecida, silenciosa... La Alejandra de «Puerto en sombra»... [5]

BERNARDO. *(Amable.)* —Me acuerdo.

ENRIQUE. *(Rencoroso.)* —No te acuerdas.

BERNARDO. —El primer acto es una taberna, ¿no?

ENRIQUE. *(Molesto.)* —Eso es el «Tenorio».

BERNARDO. —No, hombre. El «Tenorio» es otra cosa...

ENRIQUE. *(Después de un corto silencio.)* —Tú vas poco al teatro, ¿verdad? No me extraña. Desde que hay cine, al teatro no van más que las personas inteligentes...

BERNARDO. —Hay películas muy inteligentes...

ENRIQUE. —Sí, las que están sacadas de las obras de teatro...

BERNARDO. *(Con pocas ganas de discutir.)* —Bueno, ¿y ahora?

---

5. Enrique menciona una de sus obras teatrales basadas en las distintas personalidades de su esposa. Las ficciones de Isabel tienen más realidad de lo que se imagina este marido egocéntrico.

Enrique. *(Sin comprender.)* —Ahora, ¿qué?
Bernardo. —¿Cómo es Isabel ahora?
Enrique. —¡Ah!... Después comencé a inspirarle el carácter de las figuras de mis comedias... Yo no tenía más que esbozar el tipo, y ella comenzaba a vivirlo, llenándolo de detalles tan exactos, tan femeninos, que un hombre no podría concebir nunca. Necesité una mujer ahorrativa, casi avara, para la Marta de «El hogar apagado»... Isabel se prestó a vivir el personaje. ¡Nunca hemos comido peor en casa! Yo iba todo zurcido y remendado. Los radiadores de la calefacción estaban helados... ¡Maravilloso! Cuando escribí «Mademoiselle Louise» estuvo tres meses hablándome en francés, con acento de Marsella... [6] Este invierno escribí «La gran mentira», otra comedia mía, que tampoco irás a ver...
Bernardo. —Te prometo que sí. Sigue...
Enrique. —Necesité una mujer que engañaba a su marido, un pobre hombre... Por las noches, cuando volvía a casa, antes de ponerme a trabajar, le preguntaba qué habría hecho aquel día la María Paz de mi obra... ¡No tienes idea! ¡Qué citas misteriosas!... ¡Qué lugares tan inesperados!... Salones de té a los que nunca va nadie... Calles por las que nadie pasa y en las que hay unos hotelitos de ladrillo, con verja de hierro, en los que nadie se ha fijado nunca... Y pequeños restaurantes de carretera, donde el camarero saluda con complicidad... ¡Y la zozobra, en un taxi, cuando creyeron ver al marido!... Y el bolso de cocodrilo, que era una ganga, en una rebaja, y que resultaba ser un regalo inconfesable del amante... ¡Nos pasábamos las noches muertos de risa!... Isabel no es una mujer. Es cien mujeres distintas. Muchas veces es tan nueva, tan sorprendente, que me siento adúltero estando con ella... En cuanto yo se lo diga, verás... Y, además, encantada.

(Se oyen dentro las voces de Cristina *e* Isabel.)

---

6. Otra sugerencia de la personalidad múltiple y una indicación de la inspiración pirandelliana en esta comedia. El pirandellismo de López Rubio puede revelarse en situaciones cómicas o casi absurdas.

BERNARDO. —¡Cuidado!

ENRIQUE. —Tú déjame hacer. Para mañana, ella y yo habremos combinado todo el plan. *(Entran por la izquierda* CRISTINA *e* ISABEL. ISABEL *ha cambiado de vestido.* ENRIQUE *se pone en pie.)* ¿Qué...? ¿Ya?

CRISTINA. —Cuando queráis.

ISABEL. *(A* ENRIQUE.) —¡Qué casa! No tienes idea. Nuestro cuarto es fantástico...

ENRIQUE. —Si me permitís... Quisiera sacudirme el polvo del camino. ¿Por dónde es? *(A* BERNARDO.) ¿Me acompañas?

BERNARDO. *(A* CRISTINA.) —Indícale..., ¿quieres?

CRISTINA. —Sí.

ENRIQUE. *(A* ISABEL.) —¿Has visto los fantasmas?

ISABEL. —¿Qué fantasmas? *(Comprendiendo.)* ¡Ah!

CRISTINA. —Sí. Ya le he contado...

ENRIQUE. —¿Sabes que nosotros tampoco podemos verlos?

ISABEL. —¡Anda, hombre! ¡No hagas esperar!

ENRIQUE. —¡Es verdad! *(A* CRISTINA.) No te molestes. Dime por dónde es, y nada más.

CRISTINA. *(Que ha recogido la americana azul de* BERNARDO.) No, si tengo que subir, de todos modos, a dejar esto...

> *(Salen por la izquierda. Se les oye hablar, mientras se alejan.* ISABEL *se ha dirigido a la puerta del jardín.* BERNARDO *ha quedado en pie, cerca del sofá, de espaldas al público.)*

ISABEL. *(En voz alta y en tono indiferente.)* —¿Hace frío aquí por las noches?

BERNARDO. —Bastante.

ISABEL. *(Volviendo al centro de la escena.)* —¿Pensáis quedaros aquí todo el otoño? *(Antes que* BERNARDO *conteste, se acerca a él y le habla en voz baja, con rapidez, con pasión, con reproche.)* ¿Por qué no me has escrito?

BERNARDO. *(Inquieto.)* —No podía. Ya te dije que era imposible...

ISABEL. —Tu silencio me hacía la ausencia desesperante... No sabes lo que he tenido que inventar para venir a verte... Y tú... *(Se acerca a él.)* ¡No mereces que te quiera como te quiero!...

> *(Le abraza. BERNARDO, nervioso, con miedo de ser sorprendido, trata de desasirse, procurando convencer a ISABEL de su imprudencia.)*

BERNARDO.—¡No seas loca!... ¿No comprendes que pueden...?
ISABEL. —¡No comprendo nada!

> *(Le besa apasionadamente. BERNARDO acaba por abrazarla.)*

TELÓN MUY RÁPIDO.

ACTO SEGUNDO

La misma decoración del acto anterior.

Son las tres y media de la tarde del día siguiente. Están en escena Doña Aurelia *y* Don Pedro, *en sus sillones de siempre. En el sofá está sentada* Isabel, *leyendo un libro. Delante de ella, tumbado en el suelo, rodeado de hojas de papel, escribe* Enrique. *A su lado hay un vaso de whisky más que mediado. Sobre la mesa, en una bandeja, otros vasos, una botella, un sifón y un cubo de hielo.* Isabel *lleva un vestido claro, de verano.* Enrique, *unos pantalones de franela gris, una camisa y un sweater.* Doña Aurelia *borda y* Don Pedro *lee un diario de San Sebastián. Hay un silencio.* Enrique *escribe una o dos líneas. Relee lo que lleva escrito. Sin dejar de mirar la hoja de papel, toma el vaso que tiene cerca y bebe. Deja el vaso. Piensa, rascándose la cabeza con el lápiz. Ríe, en silencio, y escribe. Arroja a un lado la hoja terminada. Cambia de postura. Ante la hoja nueva, vuelve a pensar. Se rasca activamente. Levanta la cabeza. Mira al espacio. Habla a* Isabel, *sin volverse hacia ella.*)

Enrique. —¿Cómo le diría Jenny al millonario que no puede aceptar su amor?

Isabel. *(Sin levantar la vista del libro.)* —¿Quién es Jenny?

Enrique. —Jenny es una muchacha frívola.

ISABEL. —¿Y no acepta el amor del millonario?
ENRIQUE. —No. Le es imposible. Quiere a otro.
ISABEL. —¿A otro que tiene más dinero?
ENRIQUE. —No. Mucho menos.
ISABEL. —Entonces no es una muchacha frívola.
ENRIQUE. —Es frívola, pero sin experiencia.
ISABEL. —Si tuviera experiencia, no sería frívola.
ENRIQUE. —¿Por qué?
ISABEL. —Porque la experiencia es lo que mata la frivolidad.
ENRIQUE. *(Señalando el libro que lee* ISABEL.*)* —¿Lo dice ese libro?
ISABEL. —No.
ENRIQUE. —¿Quién lo dice entonces?
ISABEL. —Yo.
ENRIQUE. *(Cerrando los ojos.)* —Vuélvelo a decir.
ISABEL. *(Cansada.)* —No me acuerdo.
ENRIQUE. *(Recordando.)* —La experiencia es lo que mata la frivolidad... ¡Qué verdad tan falsa! *(Se incorpora, se arrodilla en el suelo y se acerca a* ISABEL *como para convencerla de algo muy importante.)* Lo que pasa es que los frívolos adquieren sus experiencias frívolas, ¿comprendes?, fieles hasta la muerte de su frivolidad. En cambio, la gente de experiencia, desde que nace...
ISABEL. —Nadie nace con experiencia.
ENRIQUE. —¡Uf! Hay quien nace con siglos de experiencia. ¿No te has fijado en cómo miran algunos niños con unos meses apenas? Miran desde el fondo de sus ojos, con tal gravedad, que parecen que son ya magistrados. *(Mira a* ISABEL *fijamente.)* Hoy no contestas más que simplezas. *(Feliz con su descubrimiento.)* ¡Como Jenny, claro! ¡Igual que Jenny!... Muchas gracias.
ISABEL. *(Entregada a su lectura.)* —De nada.

(ENRIQUE *vuelve a tumbarse en el suelo, a escribir. Bebe un sorbo de su vaso.)*

ENRIQUE. —Pedirán ostras para empezar. A Jenny no le gustan las otras.

ISABEL. —¿Ves cómo no es una muchacha frívola?

ENRIQUE. —Pero le gustan al millonario. Por espíritu de clase. Si las ostras no les gustasen a los millonarios, no las comerían más que los náufragos. ¿Verdad?

ISABEL. *(Que no le ha escuchado, por decir algo.)* —Sí.

ENRIQUE. *(Con una ligera sospecha.)* —¿Qué he dicho?

ISABEL. —No sé.

ENRIQUE. —Pues me has contestado que sí.

ISABEL. —Es lo más fácil.

ENRIQUE. *(Encantado.)* —¡Claro! *(Toma una nota en un papel.)* Jenny debe contestar a todo que sí, porque es lo más fácil. Si dijese que no, dejaría de ser frívola. *(ISABEL levanta los ojos del libro y mira a ENRIQUE, sin saber de qué está hablando. Escribe.)* Una docena de ostras para el millonario. No. ¡Dos docenas!

ISABEL. —¿Es muy millonario?

ENRIQUE. —De momento, sí, como todos los nuevos millonarios.

ISABEL. —¿Están en un restaurante?

ENRIQUE. —¡Claro, mujer! ¡Preguntas unas cosas! ¿Dónde quieres que estén pidiendo ostras? ¿En una pescadería? *(Con aire de misterio.)* Están en un restaurante de lujo, y en un reservado...

ISABEL. —¿Ya?

ENRIQUE. —El millonario es hombre que no pierde un minuto. Por eso es millonario. Conoce el valor del tiempo... y desconoce la alegría de perderlo. ¡Dos docenas de ostras!

ISABEL. *(Mientras continúa leyendo.)* —Las ostras no se deben comer más que en los meses que tienen «erre».

ENRIQUE. —No tengas cuidado. Estamos en enero.

ISABEL. —¿Por qué lo sabes?

ENRIQUE. —Porque Jenny tiene la ilusión de un abrigo de pieles.

ISABEL. —Esa ilusión la tiene una mujer los doce meses del año.

ENRIQUE. —Pero ahora es urgente. *(Escribe.)* Jenny también pide ostras...

ISABEL. —¡Si no le gustan!...

ENRIQUE. —Por no perder categoría. Además, espera encontrar una perla.

ISABEL. —¿La encuentra?

ENRIQUE. *(Seriamente.)* —No. No es una comedia de magia. Es una comedia de costumbres, donde todo sucede como en la vida real [7]. Las ostras no tienen perlas; pero el millonario, sí. Trae un collar en un estuche.

ISABEL. —¿Para Jenny?

ENRIQUE. —Lo lleva siempre, para un caso de emergencia. Por si tiene que conquistar a una señorita, o tiene que huir precipitadamente al extranjero...

ISABEL. —¡Ah! Entonces, ¿el collar es bueno?

ENRIQUE. —¿Cómo puedes dudarlo?

ISABEL. —¿Y va a ser para Jenny?

ENRIQUE. —Todavía no sabemos. Depende de ella. Porque el millonario, ningún millonario, da un collar de perlas por nada. Eso se queda para la clase media. Hasta el segundo acto no se decide...

ISABEL. —¿Y qué se decide en el segundo acto?

ENRIQUE. —No sé. Aún no he llegado. Y, no creas, me interesa mucho.

ISABEL. —Entonces, ¿Jenny no ha caído todavía?

ENRIQUE. —No. El que parece que ha caído es el millonario...

ISABEL. —¿Se arruina por ella?

ENRIQUE. —No creo. Tiene demasiado dinero. Por lo menos, puede resistir hasta el tercer acto. Y entonces, ya veremos. Depende de que hayan subido o hayan bajado los Explosivos. Tiene más Explosivos que nadie.

ISABEL. —Los tendrá en un sitio seguro.

ENRIQUE. *(Encantado.)* ¡Claro! Eso es lo que le pregunta Jenny. Cree que tener tantos Explosivos puede ser peligroso. Cada vez que el millonario enciende un puro, Jenny se echa a temblar.

(Se pone a escribir, muy animado. ISABEL,
desde un rato antes, ha vuelto a sumergirse en

---

7. La ironía de esta línea es que el argumento que Enrique describe, no tiene nada que ver con la «vida real».

su lectura. Doña Aurelia y Don Pedro *han
escuchado el diálogo anterior con sorpresa creciente.)*

Doña Aurelia. *(A* Don Pedro.*)* —Oye..., ¿en los esce-
narios se representan ciertas cosas?
Don Pedro. —Parece ser que ahora...
Doña Aurelia. —¿Y no queman los teatros?
Don Pedro. —No sé. Algunas veces, sí, arde un teatro, y
se queman todos los equipajes de la compañía.
Doña Aurelia. —¿Y no se dice el título de la obra que
se estaba representando?
Don Pedro. —No. Según parece, suele ser un cortocircui-
to... o un cigarrillo mal apagado, en un antepalco...
Doña Aurelia. —Sí, lo de siempre. Ya se sabe. Echar tie-
rra al asunto para que las compañías de seguros no
intervengan en el repertorio.

(Isabel *y* Enrique *han escuchado perfectamente el diálogo de* Doña Aurelia *y* Don Pedro. Isabel *sonríe, mirando a* Enrique, *con
mala intención. Este se revuelve, ofendido. Entra* Gervasio *por la izquierda, con el servicio
de té para* Doña Aurelia *y* Don Pedro. *Es
el mismo del acto anterior. Lo coloca cerca de
ellos en una mesita.* Enrique *sigue con la mirada a* Gervasio. *Se sienta en el suelo.)*

Enrique. *(A* Isabel.*)* —Oye, ese criado, ¿es visible?
Isabel. —Creo que a unas horas sí y a otras no.
Enrique. —Son las cinco en el meridiano del té[8]. ¿Será
visible a esta hora?
Isabel. —No sé.
Enrique. —Voy a probar. (Gervasio *ha terminado de co-
locar la bandeja en una mesa. Llamándole.)* ¡Chis! Oiga... (Gervasio *vuelve la cabeza hacia* Enrique. *Este,
haciéndole señas.)* ¡Chis!

---

8. Es decir, en Inglaterra u otros lugares donde tienen la costumbre de servir té a las cinco de la tarde.

(GERVASIO *mira a* ENRIQUE *como si no le vie-ra.* DOÑA AURELIA *y* DON PEDRO *siguen esta acción.*)

DOÑA AURELIA. —¿Qué es, Gervasio?
GERVASIO. —Nada, señora. Me había parecido oír...
DON PEDRO. —Sí. A mí también. Pero no es nadie.
DOÑA AURELIA. —Es un moscardón que ha entrado de fuera. Está zumbando toda la tarde.
GERVASIO. —Eso debe de ser.

(ISABEL *sonríe.* ENRIQUE *está indignado. Tie-ne una idea. Saca del bolsillo un billete de Banco.*)

ENRIQUE. *(A* GERVASIO, *mostrando el billete.)* —¡Chis!
GERVASIO. *(Al ver el billete, muy servicial.)* —¡Voy, se-ñor!
DOÑA AURELIA. *(Vivamente.)* —¿Dónde va usted, Gerva-sio? ¿No ha oído que es un moscardón que ha en-trado?
GERVASIO. —Por eso, señora. Voy a ver qué quiere. *(Se inclina y va hacia la mesa del centro. A* ENRIQUE.) ¿Manda algo el señor? (ENRIQUE *toma su vaso vacío y lo entrega a* ISABEL. *Esta lo pasa a* GERVASIO. GERVA-SIO *lo toma y sirve en él «whisky» de la botella que hay sobre la mesa.)* ¿Así, señor?
ENRIQUE. —Un poco más. Voy a estar sólo unos días. (GERVASIO *sirve hasta donde le indica* ENRIQUE. *Luego termina de llenar el vaso con sifón.)* Está bien. Oiga, ¿sabe usted si hay ratones en esta casa?
GERVASIO. —¿Por qué lo pregunta el señor?
ENRIQUE. —Porque se oyen unos ruidos extraños. Especial-mente por ese lado.

(*Señala hacia* DOÑA AURELIA *y* DON PEDRO. GERVASIO *mira.*)

GERVASIO. —Pues no sé...
ENRIQUE. —Quizá sean carcomas.

GERVASIO. —¿Carcomas? No puedo decirle. ¿Hielo, señor?

ENRIQUE. —Sí (GERVASIO *sirve hielo en el vaso de* ENRI-
QUE. *Lo remueve. Entrega el vaso a* ISABEL *y ésta lo
pasa a* ENRIQUE. *Mientras tanto,* ENRIQUE *ha dejado el
billete de Banco en el brazo del sofá.* ENRIQUE, *toman-
do el vaso.)* Muchas gracias. *(Al ver que* GERVASIO *no
se mueve.)* ¿Qué espera usted?

ℑERVASIO. —Quisiera saber si, en el caso de que encon-
trara un billete de Banco en el brazo del sofá, era del
señor.

ENRIQUE. —No. No es mío. Puede usted encontrarlo.

GERVASIO. *(Yendo por el billete.)* ¡Qué casualidad! Aquí
hay uno. *(Lo toma y lo mira con desencanto.)* Creí que
era de diez...

ENRIQUE. *(Buscando en sus bolsillos.)* —El caso es que...

GERVASIO. —Es lo mismo, señor...

ENRIQUE. —Luego perderé otro igual en mi cuarto.

GERVASIO. —¿En qué sitio?

ENRIQUE. —En una silla que hay a la derecha, entrando...

GERVASIO. —Muy visible. Puede encontrárselo la doncella
antes que yo. Mejor será que lo olvide el señor dentro
de un sobre a mi nombre...

ENRIQUE. —Bueno, me acordaré de olvidarlo. ¿Cómo se
llama usted?

GERVASIO. Gervasio Martínez, para servirle. Pero basta
con que ponga Gervasio.

ENRIQUE. —Está bien, Gervasio.

GERVASIO. —Y si el señor necesita algún otro servicio extraordinario...

ENRIQUE. —Sí. Ya sé la tarifa.

GERVASIO. —Dése cuenta el señor. Es un trabajo arries-
gado... Si quiere, puedo hacerle un precio por la temporada...

ENRIQUE. *(A* ISABEL.*)* —Si se te ocurre algo, pídelo antes
que suba el contador.

ISABEL. *(A* GERVASIO.*)* —No. Nada. Gracias.

(GERVASIO *se inclina y se dirige a* DOÑA AU-
RELIA *y* DON PEDRO, *que toman su té llenos de*

digna ira. Hacen como si no viera ni oyeran a
Gervasio.)

Gervasio. —¿Alguna cosa más?
Dña Aurelia. *(A* Don Pedro.) —¿Te acuerdas de aquel
criado que teníamos? Gervasio creo que se llamaba...
Don Pedro. —¡Ah! Sí. ¿Qué habrá sido de él?
Doña Aurelia. —Desapareció. No sé si se llevó algo. No
era hombre de fiar...
Don Pedro. —Se vendía por nada.
Doña Aurelia. —Quizá haya muerto.
Don Pedro. —No creo. ¡Esa gente así!... ¡Habrá acabado
en la cárcel!...
Doña Aurelia. —Si no ha acabado, acabará.

(Gervasio *los mira enfurecido y se separa de
ellos. Al pasar cerca de* Enrique, *se detiene un
momento.)*

Gervasio. —Llevaba razón el señor. Hay carcomas.
Enrique. —¿Verdad?
Gervasio. —Sí. Dos.

(Sale por la izquierda. Enrique *le ve ir, sonriendo.* Isabel *ha vuelto a leer.* Enrique, *feliz,
canturrea, revisando sus papeles. Se le ocurre
algo, sonríe, y escribe precipitadamente.)*

Doña Aurelia. *(A* Don Pedro.) ¿Salimos?
Don Pedro. —¡Si te parece!...
Doña Aurelia. —Ya comienza a bajar el sol. (Enrique *ríe
francamente, mientras escribe.)* No hay cosa que más
me irrite que un insecto en una habitación.
Don Pedro. —En verano, con todo abierto, ya se sabe...

(Doña Aurelia *se pone en pie.* Don Pedro
la imita.)

Doña Aurelia. —¡Dichoso invierno! Porque, en invierno,
se mueren, ¿no?

DON PEDRO. —Por lo menos, se van.
DOÑA AURELIA. —Pero ¿no se mueren?
DON PEDRO. —Algunos, sí. Otros he leído que duermen durante todo el invierno.
DOÑA AURELIA. —Entonces, por eso están tan tontos en el verano.

(Salen. ISABEL *no ha escuchado este diálogo.* ENRIQUE *los ve ir, riendo. Imita el zumbido del moscardón.*)

ENRIQUE. —¡Buuuuuh! (*Aparece* BERNARDO, *por la izquierda. Queda mirándolos.*)
BERNARDO. —Hola. (ISABEL *levanta la cabeza, y, molesta de ver a* BERNARDO, *vuelve a su lectura.* BERNARDO, *llegando al sofá.*) Estás pasando una tarde muy divertida.
ENRIQUE. (*Impertinente.*) —Tú verás. En algo nos tenemos que ocupar mientras vosotros dormís una siesta de tres horas...
BERNARDO. (*Riendo.*) —No estaréis ofendidos.
ENRIQUE. (*Dignamente.*) —Sí.
BERNARDO. (*A* ISABEL.) —¿Tú también?
ISABEL. (*Sin levantar los ojos del libro.*) —No.
ENRIQUE. —Esta, no mucho, porque es así. Pero yo, bastante. Nos habéis abandonado después del café.
BERNARDO. —Te anuncié que en el campo se duerme la siesta, y no te pareció mal.
ENRIQUE. —Ni bien ni mal, porque no supuse que vosotros tuvieseis nada que ver con el campo...
BERNARDO. —¡Tú, como te has levantado a las doce!...
ENRIQUE. —¡Naturalmente! Yo soy un hombre de la ciudad y no claudico nunca de mis prerrogativas ni en el campo ni en una isla desierta. Llevo conmigo el horario de las gentes civilizadas. No comprendo por qué ha de olvidarse uno de sus principios sólo porque haya unos cuantos árboles más... o que se tenga uno que despertar porque se le ocurre cantar a un gallo al amanecer.
BERNARDO. —¡Ah! ¿Lo has oído? Te despertará todas las mañanas, a la misma hora, como a mí.

ENRIQUE. —No. No me volverá a despertar. Ni a ti tampoco. Le he tirado desde la ventana una botella de agua mineral.

BERNARDO. —¿Le has dado?

ENRIQUE. —Creo que sí. Por lo menos, le he dado a una cosa con plumas...

BERNARDO. —A lo mejor era una gallina.

ENRIQUE. —Puede.

BERNARDO. —¿Tú no distingues un gallo de una gallina?

ENRIQUE. —No. Yo soy un caballero. Y tú, en vez de prestar a la Naturaleza una curiosidad morbosa, debías atender a tus ocupaciones.

BERNARDO. —Que son...

ENRIQUE. —Hacerle el amor a Isabel. *(A* ISABEL.*)* ¿Verdad?

ISABEL. *(Indiferente.)* —Sí.

ENRIQUE. *(Desesperado.)* ¡Así no es posible! Debíais tener alguna consideración para la pobre Cristina. ¿Cómo va a sospechar de vosotros sin motivo?

BERNARDO. —Siempre sospecha sin motivo.

ENRIQUE. —De ti, sí. Pero de ésta... ¿No te da vergüenza?

ISABEL. —¡Enrique!

ENRIQUE. —¡Si es verdad!... No parece sino que el flirtear contigo un par de días sea una cosa desagradable. *(A* BERNARDO.*)* Te advierto que de ella se ha enamorado mucha gente. Y que suele recibir ramos de rosas amarillas, no sabemos de quién. Y cuando nos casamos, estuvo a punto de suicidarse un ingeniero... *(A* ISABEL.*)* ¿Cómo se llamaba?

ISABEL. —No me acuerdo.

ENRIQUE. *(A* BERNARDO.*)* Sí, hombre... Uno alto, con lentes, que iba mucho al «Golf»...

BERNARDO. —¿Palacios?

ENRIQUE. —No. Ese no es ingeniero... Se llama... Bueno, lo mismo da. No cambiéis de conversación.

BERNARDO. —¡Si estamos esperando tus órdenes! Dijiste que lo dispondrías todo.

ENRIQUE. —Ya comprenderás que lo hago por ti, y ésta, lo mismo. Porque somos unos buenos amigos y tenemos que pagar de algún modo el pan que comemos en esta

casa, que, por cierto, no es muy allá... El esfuerzo de
imaginación que estoy haciendo podía emplearlo en
una comedia, que luego le gustaría mucho a ese señor
con barba, que es el único que paga en mis estrenos [9].
BERNARDO. —¿Qué señor con barba?
ENRIQUE. —¿Cuál va a ser? ¡El último que queda! Yo
pienso en él siempre que escribo, porque es lo que se
llama el público sano. Bueno, y basta. Ahora voy a arre-
glaros una cita misteriosa en algún sitio.
BERNARDO. —¿Dónde?
ENRIQUE. —Para empezar, no muy lejos. Donde haya el
romanticismo indispensable. Por ejemplo, una barca, en
el lago...
BERNARDO. —¿Qué lago?
ENRIQUE. (*Indignado.*) ¡Ah! ¿No tenéis lago? Ni barca
tampoco, por supuesto... Comprenderás que así no es
posible. Yo, sin elementos, no puedo trabajar.
BERNARDO. (*Proponiendo, tímidamente.*) ¿Te sirve el par-
terre?
ENRIQUE. (*Rechazando de plano la idea.*) Poco íntimo.
BERNARDO. (*Después de pensar.*) El garaje...
ENRIQUE. —Ya no estás en edad. ¿Es que no tienes ningún
lugar presentable?
BERNARDO. (*Tímidamente.*) Hay un río, no muy grande...
ENRIQUE. —Puede servir. Tampoco hace falta el Mississip-
pí... Tendrá un puente, al menos. Un puente rústico...
BERNARDO. —El que hay es de cemento.
ENRIQUE. —¡Ah, cemento, cemento! ¡Cuántos crímenes se
cometen en tu nombre!... Bueno, id donde os parezca.
Lo importante es que no estéis aquí cuando venga Cris-
tina. Yo compondré el cuadro a mi manera.
ISABEL. —No pretenderás que estemos por ahí hasta que
salga la luna...
ENRIQUE. —Concededme, por lo menos, el atardecer. Un
atardecer, hábilmente manejado, puede dar mucho
juego.

---

9. Casi todos los espectadores que asisten al estreno de una
comedia son invitados y no pagan. Por eso no representan el verdadero público sino la gente de teatro-actores, directores, críticos, autores y amigos de éstos.

BERNARDO. *(A* ISABEL, *con aire resignado.)* —Vamos, si quieres...

(ISABEL *se pone en pie, con poco entusiasmo.)*

ENRIQUE. —Hablad de lo que queráis, menos de política, porque se os notaría en la cara y sería contraproducente. *(A* ISABEL.) Tú te desarreglas un poco el pelo, sin olvidar que eres una mujer casada. *(A* BERNARDO.) Tú tomarás la mano de Isabel a trescientos metros de la casa, a la vuelta. La soltarás exactamente a los cien metros, o, si hay árboles, a los cincuenta.

BERNARDO. —Está bien.

ISABEL. —¿Podemos bajar al pueblo?

ENRIQUE. —Sí, pero no compres nada. Los paquetes descompondrían el efecto.

BERNARDO. *(Señalándole una mejilla.)* —¿Pintura de labios?

ENRIQUE. *(Compasivamente.)* —Demasiado pueril. Es lo primero que se hace desaparecer. Anda, hombre... ¿Para qué crees que llevan las mujeres en el bolso un pañuelo rojo?... Empiezo a creer que, de verdad, no has tenido nunca una aventura.

BERNARDO. —¿No te he dicho...?

ENRIQUE. *(Empujándole.)* —Hasta luego. Ya veréis cómo preparo el terreno. Voy a acentuar tanto el tinte de la sospecha, que casi voy a tener celos de vosotros...

BERNARDO. *(Alarmado.)* —¡Hombre!...

ENRIQUE. —Celos en el buen sentido de la palabra. Hasta luego.

(Sale por la izquierda. ISABEL *y* BERNARDO *le ven salir y se miran después.) Dan tiempo a* que ENRIQUE *no les pueda oír.* BERNARDO *está inauieto.)*

BERNARDO. *(En voz baja, receloso.)* —¿Estás segura de que no sospecha nada?

ISABEL. —¿No lo ves?

BERNARDO. —Porque lo veo, me parece imposible que...

*(ISABEL se acerca a BERNARDO amorosamen-
te y le pone un dedo en los labios.)*

ISABEL. —No temas. Tiene demasiada imaginación para
fijarse en lo que está delante. Nunca lee un libro como
debe leerse. Mira las páginas nada más, y las comprende, sin detenerse en las palabras. Cuando hablo con él,
me contesta a lo que aún no le he dicho.
BERNARDO. —Porque sabe lo que le vas a decir...
ISABEL. —Porque prefiere inventar. No escucha nunca, porque se está escuchando a sí mismo. En los conciertos se
tapa los oídos con una música que le suena a él dentro.
En el teatro, ve otra comedia distinta a la que se está
representando... [10].
BERNARDO. —Pero ¿no tiene ojos?
ISABEL. —Tiene siempre delante de los ojos un espejo,
donde se está mirando a todas horas, en todas las
cosas...
BERNARDO. —¿Y cuando está contigo?
ISABEL. —Menos aún. ¿No comprendes? Para él yo no
soy sino su propia pasión. Conmigo, él se sigue amando
en mí... Por eso no hemos tenido hijos...
BERNARDO. —Pero si te tiene a su lado...
ISABEL. —Su lado está siempre lejano...
BERNARDO. —¿Y sus brazos..., sus manos..., sus labios?
ISABEL. —¿Vas a tener celos?
BERNARDO. —¿De él? ¡Claro!
ISABEL. —El es quien podría tener celos de ti.
BERNARDO. —Tengo celos de él precisamente porque él no
tiene celos. El no sabe cuándo estás conmigo, y yo sé
siempre cuándo estás con él...
ISABEL. —¿Aun sabiendo que mi pensamiento le está trai-
cionando, porque está en ti?
BERNARDO. —No es del pensamiento de lo que yo tengo
celos cuando él respira el mismo aire que ha estado
dentro de ti...

10. Una referencia seria a la teatralidad de la vida y otra sugerencia de la personalidad múltiple.

ISABEL. *(Sonriendo.)* —No temas por el aire. Dormimos con el balcón abierto. Ni temas por nada. Enrique no resultó ser el que yo creí que era cuando me casé. Para conquistar a una mujer, el hombre representa un papel que se cansa de seguir interpretando ya conseguido su objeto. Hasta después de nuestra boda yo no conocí bien a mi marido. Y cuando se conoce bien a una persona, es que se descubre que es otra distinta. A esa otra persona, a ese hombre distinto, yo no le debía amor ni fidelidad. Yo no les prometí nada a los defectos, a las manías, a los egoísmos... Yo no me había casado con lo que ignoraba...

BERNARDO. —Y entonces te fijaste en mí...

ISABEL. —Perdona. Me fijé en que te fijabas en mí. Hasta entonces me había respetado a mí misma. Me había resignado a soportar la farsa, a tomar cartas en ese juego que es la vida para él... Y, más tarde, a la humillación de oír, en sus comedias, las frases de amor que yo le había inspirado. En el mismo momento de decirlas, la profesión podía más que su amor. Las grababa en la memoria para comerciar con ellas, para ponerlas en otros labios, para otras mujeres... No me quería a mí sola. Les regalaba a sus mujeres inventadas las palabras que yo creí que eran solamente mías... Es lo que deben sentir las mujeres cuando ven que otra mujer lleva sus alhajas, las que él le regaló... Cada escena de amor de sus comedias es una profanación de nuestras horas de amor. Me explico la vergüenza de las modelos, no de desnudarse delante del pintor, sino de verse en el cuadro, desnudas para siempre, aunque sea con otra cara.

BERNARDO. —¿Por eso te has vengado de él contándole, como si los inventaras, todos nuestros encuentros...?

ISABEL. —Tal vez... ¿Te ha dicho...?

BERNARDO. —Sí, Isabel. Y no has hecho bien. Era nuestro secreto. Lo has revelado a medias, que es lo peor que puede hacerse con un secreto.

ISABEL. —Tenía que cobrarme de algún modo el tormento de saber que me era fiel...

BERNARDO. —No tan fiel. Ni mucho menos. Sevilla... Nápoles...

ISABEL. —¡Ah! ¿También sabes...? Esas aventuras de Enrique me justifican ante mí misma. Cuando sabía que me engañaba, mi conciencia estaba más tranquila. (BERNARDO *va a decir algo, pero se contiene al oír pasos en la terraza.* ISABEL *y* BERNARDO *se separan. Aparecen por la puerta del fondo* DOÑA AURELIA *y* DON PEDRO, *que se dirigen a sus lugares habituales.* ISABEL, *a* BERNARDO, *en un tono distinto:*) Bueno, vamos, que tu mujer tiene que sospechar de nosotros...

> (*Salen por la puerta del fondo.* DOÑA AURELIA *les sigue con la mirada. Hay un corto silencio. Aparece* ENRIQUE *por la izquierda. Va hacia la puerta de la terraza. Ve alejarse a* ISABEL *y* BERNARDO. *Entra* CRISTINA, *por la izquierda.* ENRIQUE, *al oír sus pasos, se vuelve, sonriente.*)

CRISTINA. —¿De qué te ríes?

ENRIQUE. —De nada. Me río porque es sano. Todos los días debe uno reír un rato, sin motivo, entre horas.

CRISTINA. —¿Dónde está Isabel?

ENRIQUE. —Ha salido...

CRISTINA. —¡Ah!

ENRIQUE. —...con Bernardo.

CRISTINA. —¿Dónde?

ENRIQUE. —No sé.

CRISTINA. —¿Cómo no te has ido con ellos?

ENRIQUE. —Pues verás... Bernardo ha dicho que me iba a cansar..., que está un poco lejos... Isabel se empeñó en que debía terminar la escena del camarero esta misma tarde... ¡Está encantada con mi comedia! Total: que comprendí que no querían que fuese con ellos.

CRISTINA. —¿Por qué no me han avisado?

ENRIQUE. —Yo les dije... Pero Isabel contestó que estabas haciendo no sé qué... Y Bernardo añadió que te ibas a cansar, que está un poco lejos...

CRISTINA. —Habrán ido a las cuevas...

ENRIQUE. —¿Qué cuevas?

CRISTINA. —Unas cuevas de estalactitas que hay a tres kilómetros del pueblo.
ENRIQUE. *(Molesto.)* ¿Cómo no me ha dicho Bernardo
que hay unas cuevas de estalactitas?
CRISTINA. —Creerá que no te interesan.
ENRIQUE. —El sabe muy bien que tenían que interesarme.
Lo que pasa es que aquí todo el mundo quiere tener
iniciativas... *(CRISTINA le mira, extrañada.)* Habrán ido
a las cuevas. Ya lo verás. *(Con una nueva idea.)* ¿Son
muy grandes?
CRISTINA. —Sí, pero muy bajas de techo.
ENRIQUE. —No digo que se queden a vivir, pero ¿se
pueden perder si se internan?
CRISTINA. *(Desechando la idea.)* —No creo que se les ocu-
rra explorar por su cuenta.
ENRIQUE. —Pero ¿se pueden perder?
CRISTINA. —No creo.
ENRIQUE. —Yo tampoco... Pero si alguien se puede per-
der, ellos pueden decir que se han perdido...
CRISTINA. —¿Cuándo?
ENRIQUE. —Cuando vuelvan, si vuelven tarde...
CRISTINA. *(Extrañada.)* ¿Por qué han de volver tarde?
ENRIQUE. —¡Yo qué sé!
CRISTINA. *(Sin comprender bien.)* —No es tan lejos...
ENRIQUE. —Y, además, como pretexto, sería muy burdo.
CRISTINA. —¿Para qué van a necesitar ningún pretexto?
ENRIQUE. —Pues para lo que se usan siempre: para no
decir la verdad.
CRISTINA. *(Inquieta, gradualmente, desde este momento.)*
—¿Qué verdad?
ENRIQUE. —¿Cómo quieres que yo la sepa? Por eso, por-
que no sé la verdad, empiezo a clasificar todos los pre-
textos posibles.
CRISTINA. *(En tensión.)* —¿Qué es lo que quieres saber?
ENRIQUE. *(Quitándole importancia.)* —Además, es muy po-
sible que no vuelvan tarde...
CRISTINA. —No te entiendo.
ENRIQUE. —No quiero ponerte en guardia, pero...
CRISTINA. —¿Qué?
ENRIQUE. —Hay algo.

CRISTINA. —¿Algo de qué?

ENRIQUE. —Algo que me quieren ocultar, y que parece que tampoco quieren que tú sepas ...

CRISTINA. *(Con ansiedad.)* —¿En qué te fundas para...?

ENRIQUE. —Si no, ¿a qué viene tanto misterio? *(CRISTINA le mira fijamente, sin atreverse a preguntar.)* Mira: yo de Bernardo no sospecharía. No hubiera sido capaz. Pero tú no sabes cómo es Isabel. De ella puede esperarse todo.

CRISTINA. *(Conteniendo su angustia.)* ¿Todo?... ¿Qué es todo?...

ENRIQUE. —Pues todo es todo, como siempre. ¿Qué quiere decir todo? Pues eso. Que nos encontraremos esta noche las sábanas dobladas de modo que tengamos que dormir encogidos... Que habrá petardos en los armarios... Que harán un fantasma con una sábana, o un postre de sorpresa... Que meterán una cabra en el cuarto de baño... Todo, ya te digo. Isabel no concibe el campo sin tener a la gente en vilo toda la noche. Es una enfermedad de familia. La adquirió de su abuelo en no sé qué balneario, a principios de siglo. Ella sabe que a mí esas bromas... Pero no puede remediarlo.

CRISTINA. *(Riendo tranquilizada.)* ¿Y eso era todo?

ENRIQUE. —¿Te parece poco? ¿Qué iba a ser, si no? ¿Por qué estaban hablando en voz baja cuando yo llegué? ¿Y por qué se callaron, desconcertados, al verme entrar? ¿Por qué se han ido, dime? ¿Por qué no querían que fuese con ellos? Son muchos detalles, ¿comprendes?

CRISTINA. *(Comenzando a preocuparse de nuevo.)* —Sí.

ENRIQUE. —Por si acaso, debemos estar advertidos. Ahora mismo cierro mi cuarto con llave. A mí no me dejan el «sommier» en el aire ni me cae un jarro de agua al empujar la puerta. Eso te lo aseguro. Son cosas que se acabaron con la primera guerra mundial; pero Isabel sigue encontrándoles no sé qué atractivo malsano. Te aconsejo que estés alerta. Tanto disimulo, tanto cuchicheo... Este paseíto, juntos, ahora... Hay motivos de sobra para estar

sobre aviso. Pero lo que es a mí, no me la dan. Voy a
tomar mis medidas. *(Sale por la izquierda.* DOÑA AURE-
LIA *y* DON PEDRO *han seguido la escena casi con la misma inquietud y sospecha que* CRISTINA [11]. CRISTINA *queda en el centro de la escena, sin saber qué pensar. Ha
nacido en ella una duda y no se limita a suponer lo que*
ENRIQUE *le ha hecho temer. No comprende la incons-
ciente ceguera de* ENRIQUE. *Está nerviosa. Sigue con el
gesto y la acción el hilo de sus pensamientos, de este
modo: Queda mirando a la puerta de la izquierda, por
donde salió* ENRIQUE. «¿Se está burlando de mí?» *Baja
la vista al suelo, pensativa.* «¿Y si no es eso?» *Alza la
vista animosamente y se dirige a la mesa, donde arregla
unas flores que hay en un jarrón, con lo cual se siente
algo confortada.* «Seguramente es lo que él dice. Una
broma.» *Se detiene súbitamente.* «¿Una broma?» *Sonríe,
menos convencida.* «Sí. Alguna broma. Una cabra en el
cuarto de baño.» *Cada vez va perdiendo más fe en esta
idea, que trata de alejar con un movimiento de cabeza.*
«No puede ser.» *Sonríe, avergonzada de sí misma.* «¿Cómo puedo pensar de* BERNARDO *una cosa así?» Da vuelta
a la mesa y se sienta en el sofá, más tranquila. Toma el
libro que dejó* ISABEL. *Empieza a leer, pero a las pocas
líneas vuelve a alzar los ojos, con sospecha creciente.*
«Pero si hablan juntos, en secreto, y se han ido juntos...»
*Se levanta y va hacia el fondo. Mira al jardín. Vuelve a
pensar.* «¿Será verdad?» *Quiere desengañarse, ya sin
éxito.* «No, no. No es verdad.» *Mira a su alrededor,
angustiada.* «¿Y si fuera verdad, Dios mío?» *Dirige su
mirada hacia el lado donde se hallan* DOÑA AURELIA *y*
DON PEDRO, *que la han observado durante toda la escena. Se avergüenza de que hayan podido pensar lo
mismo que ella.* «Me están mirando.» *Mira hacia otro*

---

11.   Una breve e importante escena sin diálogo. La actriz que
hace Cristina, tiene que sugerir con sus ademanes y movimientos las
emociones en conflicto del personaje, sus dudas y, al fin, su decisión
—sin decir palabra—. También, el intercambio con los viejos y sus
reacciones deben ser muy sutiles. Esta escena demuestra claramente
que los valores del teatro de López Rubio no se revelan sólo en el
diálogo.

lado. Doña Aurelia *y* Don Pedro *han disimulado lo
mejor posible.* «*¿Sabrán algo ellos?*» *Mira a* Doña Aurelia *y a* Don Pedro, *angustiada.* «*¿Es verdad? ¿Creen
ustedes que puede ser verdad?*» *Se miran francamente.
El silencio tiene una terrible tensión.* Cristina *está dispuesta a romper la muralla convenida que los separa,
como si pidiese auxilio.* Don Pedro, *instintivamente,
mirando a* Cristina, *se pone en pie. Va a decir algo, no
sabe qué. Quizá va a desengañarla.* Doña Aurelia *ha
bajado la vista al suelo, temiendo la explosión que cree
inevitable. Una palabra cualquiera va a tender un puente, cuando aparece por la izquierda* Enrique. *Este se
da cuenta rápidamente de la situación. Sonríe, mira hacia*
Doña Aurelia *y* Don Pedro. *Se acerca a* Cristina, *y
dice, señalando a la pared, en la dirección que miraba*
Cristina:) Sí. Está torcido. Ya me había fijado antes.
(Se dirige hacia Doña Aurelia *y* Don Pedro. *Pasa
entre ellos, como si no los viera, y llega hasta un cuadro
que hay en la pared, efectivamente, un poco torcido.*
Don Pedro *se sienta y disimula.* Doña Aurelia *revuelve afanosamente en su cesto de costura.* Enrique *pone
derecho el cuadro, lo mira y se vuelve hacia* Cristina, *a
consultar con ella.* Enrique, *señalando el cuadro.)* ¿Está
mejor ahora?

Cristina. *(Que ha reaccionado rápidamente.)* —Sí, sí.

(Enrique *vuelve al centro de la escena, después de pasar nuevamente por entre* Doña Aurelia *y* Don Pedro.)

Enrique. *(A* Cristina.) —¡Sabe Dios los años, los siglos
quizá, que llevaría torcido ese cuadro! En estos casero-
nes abandonados, cuando sus dueños desaparecen, todo
se desmorona... *(Va a sentarse en el sofá.)* Tardan, ¿no?

Cristina. *(Disimulando.)* —No.

Enrique. —Habrán ido al pueblo...

Cristina. —¿Por qué no vas a sorprenderlos?

Enrique. *(Extrañado.)* —¿Sorprenderlos?

Cristina. —Vamos, encontrarlos...

Enrique. *(Acomodándose en el sofá.)* —Ya volverán, si nos

son fieles.

CRISTINA. *(Intentando seguir la broma.)* —¿Y si no nos lo son?

ENRIQUE. *(Riendo.)* —Volverán también. No te preocupes. Los maridos vuelven siempre.

CRISTINA. —¿Y las mujeres?

ENRIQUE. —Casi siempre. *(Se pone en pie.)* Si vuelven, arriba estoy. Si no vuelven, me avisas a la hora de la comida... *(Con un tono triste de broma.)* Pero volverán. No nos hagamos ilusiones.

> *(Sale por la izquierda. CRISTINA queda preocupada otra vez. DOÑA AURELIA y DON PEDRO la miran. CRISTINA, resuelta, se dirige a la puerta del fondo, y sale al jardín. DOÑA AURELIA y DON PEDRO la siguen con la mirada. Se miran después. DOÑA AURELIA mira a DON PEDRO fijamente, como con un antiguo reproche. DON PEDRO baja la vista.)*

DON PEDRO. *(Disculpándose.)* —Yo... Yo volví...

DOÑA AURELIA. —A los dos años...

DON PEDRO. *(Con un mal pretexto.)* —Los medios de transporte eran menos rápidos que ahora... Pero volví.

DOÑA AURELIA. —Cuando ya no te esperaba.

DON PEDRO. —A pesar de lo cual...

DOÑA AURELIA. —Sí. Las mujeres tenemos el perdón a flor de piel.

DON PEDRO. —Hemos sido, ya para siempre, uña y carne.

DOÑA AURELIA. —Sí. Tú, la uña.

> *(Quedan un instante en silencio. Ha comenzado a bajar la luz de la tarde. Entran por el fondo ISABEL y BERNARDO. BERNARDO viene inquieto, preocupado, con mal humor. ISABEL le sigue, sin dejar de mirarle. BERNARDO saca su pitillera, toma un cigarrillo y lo enciende, nervioso.)*

ISABEL. *(Acercándose a BERNARDO.)* —No estás seguro...

BERNARDO. —Seguro, no. Pero me ha parecido...

(ISABEL *le mira.* BERNARDO *está pensativo.*
ISABEL, *desechando toda preocupación, va a sen-*
tarse junto a él en el sofá.)

ISABEL. —Y, al fin y al cabo, ¿qué? Estábamos en nuestro
papel; representamos una comedia, ¿no? [12]
BERNARDO. *(No muy convencido.)* —Sí.
ISABEL. —Un asunto de mi marido. El nos repartió los
papeles...
BERNARDO. —Sí, pero...
ISABEL. —Y también puede haber sido una ilusión tuya...
¿Quién iba a andar por el jardín, precisamente por ese
lado?
BERNARDO. *(Sombrío.)* —¿Qué sé yo?
ISABEL. *(Con una sospecha, mirando hacia* DOÑA AURELIA
y DON PEDRO.*)* —¿Eran pasos de una persona o de dos?
BERNARDO. —Casi no eran pisadas... Sonaron tan leves...
ISABEL. —Bueno; quien haya sido, puede hacer dos cosas:
callar, lo cual no nos interesa nada, porque nos obligaría
a repetir la escena de amor en el parque..., o írselo a
contar a Cristina..., que es lo que estamos deseando...

(ISABEL *ha dedicado a* DOÑA AURELIA *y* DON
PEDRO *estas frases.* BERNARDO *no contesta. Si-*
gue preocupado. ISABEL *le mira y calla. Apare-*
ce ENRIQUE. *No advierte la presencia de* ISABEL
y BERNARDO. *Se dirige a la puerta del fondo y*
observa el jardín. Vuelve la vista y se da cuen-
ta de que están ISABEL *y* BERNARDO *sentados*
en el sofá, en silencio.)

ENRIQUE. *(Molesto, al verlos.)* —¡Ah! ¿Estáis aquí? ¡Muy
bien! Mientras yo me preocupo por situaros sobre un
paisaje, por decorar un poco vuestra pasión culpable,
vosotros aquí, bajo techado, aburridos como un matri-

---

12.   Bernardo e Isabel han representado una escena de amor dirigido por Enrique; pero, irónicamente, este teatro dentro del teatro
refleja la «realidad» de la pareja adúltera.

monio. Sin la elemental precaución de tener uno entre
las suyas las manos del otro, que es lo único que puede
justificar los largos silencios de los enamorados... Y la
pobre Cristina buscándoos por ahí como una loca...
BERNARDO. *(Poniéndose en pie.)* —¿Cristina? ¿Dónde?
ENRIQUE. —No sé. Salió, no hace mucho.

(ISABEL y BERNARDO *se miran.*)

BERNARDO. *(Inquieto.)* —¿Dónde ha ido?
ENRIQUE. —Por ahí..., al jardín Quizá hasta el pueblo...
BERNARDO. *(Dirigiéndose a la puerta del fondo.)* —Voy
a ver...
ENRIQUE. —Sí, sí. Ve en su busca. Muéstrate inquieto por
su ausencia, solícito... Y así no acabaremos nunca.
Mira: por lo menos, exagera un poco la nota. En la
ternura excesiva y extemporánea de un marido hay siempre un fondo de contrición... (BERNARDO, *sin acabar de
oírle, sale por el fondo.* ENRIQUE, *a* ISABEL, *por* BER-
NARDO.) ¿Qué le ocurre?
ISABEL. —No sé.
ENRIQUE. —¿No lo encuentras un poco raro? Enamorado,
seguramente. (ISABEL *le mira.*) Sí, sí. Enamorado de su
mujer. ¡Pobre! Mucho quejarse de los celos de Cristina,
y no podría vivir sin ella. Son su aire. Los celos de la
mujer amada renuevan en el hombre la confianza en sí
mismo. Tú debías tener celos alguna vez...
ISABEL. —¿De quién?
ENRIQUE. —De mí. ¿De quién va a ser?
ISABEL. —¿Con quién?
ENRIQUE. —¡Ah! Con quien quieras. Se trata de una atención por tu parte. Mira: de una actriz, por ejemplo. Yo
paso mucho tiempo en los escenarios, y las actrices tienen una fama inquietante en la leyenda de las gentes...
Son mujeres como las demás, pero tienen delante, para
toda la vida, una batería de luz. La sombra, ese terreno
fácil en que pueden moverse las otras mujeres para sus
aventuras, les está negado. De este invierno no pasa que
tengas celos de una actriz.
ISABEL. —¿De cuál?

ENRIQUE. —¿Qué quieres? ¿Que te dé todo hecho? De una primera actriz, naturalmente, por prestigio... No se te vaya a ocurrir una de esas chicas tan monas que están empezando y que desean vehementemente que alguien les eche una mano para llegar. Eso se queda para los autores de cierta edad. De ahí a la Academia no hay más que un paso [13]. ¿Me lo prometes?

ISABEL. *(Indiferente.)* —Bueno.

ENRIQUE. —A lo mejor, con tus celos soy tan feliz como ese desgraciado, que no sólo está enamorado de su mujer, sino que, además, está enamorado de los celos de ella. Si Cristina quiere conservarle, no debe perder ese atractivo singular de sus celos. (ISABEL *no puede oír ya más. Está nerviosa, excitada. Se pone en pie.)* ¿Dónde vas?

ISABEL. —No sé. A ninguna parte.

ENRIQUE. —Iría contigo, porque es una dirección que me gusta; pero debo quedarme a ver qué conviene hacer, si continuar atizando los celos de Cristina o dar por terminado el juego y que vivan felices en ese martirio tan sugestivo que se han inventado. (ISABEL *se dirige a la puerta de la izquierda.)* ¡Os habrán visto juntos, por lo menos!

ISABEL. *(A punto de estallar.)* —¡Qué sé yo! Déjame ahora. Tengo una jaqueca horrible.

ENRIQUE. —Te creo que tienes jaqueca. Como pretexto, no sería digno de ti.

> *(Le divierte su frase, saca un cuaderno de bolsillo y la apunta* [14]. ISABEL, *furiosa, sale por la izquierda.* ENRIQUE, *cuando ha acabado de apuntar su frase, se levanta y va a la puerta del fondo, desde donde observa, procurando no ser visto desde fuera.)*

---

13. Un comentario irónico. Generalmente no eligen a los dramaturgos para entrar en la Real Academia Española hasta que no alcancan una edad bastante avanzada.

14. Enrique se aprovecha de todo para crear teatro.

Doña Aurelia. *(Suspirando.)* —¡Qué mundo, Señor!...
¡Qué mundo éste!
Don Pedro. —¿Qué le pasa al mundo?
Doña Aurelia. —Que no acabo de entender cómo está
hecho.
Don Pedro. —¿Lo hubieras hecho tú mejor?
Doña Aurelia. —Seguramente. Claro que no en seis días.
Pero tampoco corría tanta prisa, digo yo, Dios me per-
done...

> *(Se escucha la voz de* Bernardo *en el jardín.*
> Doña Aurelia *y* Don Pedro *quedan callados,*
> *esperando.)*

Voz de Bernardo. *(En el jardín.)* —¡Cristina!... ¡Cristina!... *(*Enrique *escucha con el mayor interés, mirando*
hacia el jardín.) ¡Cristina!...

> *(*Enrique, *rápidamente, se oculta, quedando*
> *a un lado de la puerta.* Doña Aurelia *y* Don
> Pedro *le miran extrañados. En el mismo mo-*
> *mento entra precipitadamente, como huyendo,*
> Cristina. *Viene turbada, temblorosa. Llega has-*
> *ta el sofá, tratando de contenerse y de disimular.*
> Enrique *ha salido por una puerta, mientras*
> Cristina *ha entrado por otra, y vuelve a apa-*
> *recer. Queda en el umbral, pendiente de* Cris-
> tina. Cristina *no ha podido advertir su pre-*
> *sencia, aunque sí la de los otros personajes, a*
> *los que no se atreve a mirar. Sostiene una lucha*
> *terrible consigo misma y acaba por dejarse caer*
> *en el sofá, sollozando.* Doña Aurelia *y* Don
> Pedro *la miran compasivamente.* Enrique *son-*
> *ríe, como si hubiera terminado con felicidad el*
> *segundo acto de una de sus comedias. Se dirige*
> *a* Cristina.)

Enrique. —¡Ah! Bernardo te estaba llamando en el jardín
hace un instante. *(*Cristina, *al oír la voz de* Enrique,
se ha incorporado vivamente. Se seca los ojos y trata de
disimular todo lo posible. Enrique, *ya junto a* Cristi-

NA.) ¿No le has oído?

CRISTINA. —No.

ENRIQUE. —Es raro.

CRISTINA. —Andaba por ahí dentro...

ENRIQUE. —¿Qué te pasa?

CRISTINA. (*Tratando de disimular.*) —¿A mí?

ENRIQUE. —Parece como si hubieras llorado...

CRISTINA. —¡Qué tontería! ¿Por qué iba a estar llorando?

ENRIQUE. —¡Ah! Tú sabrás. El llorar es uno de vuestros privilegios. Los hombres tenemos tasadas las lágrimas, y ello nos obliga a guardarlas para las grandes ocasiones. ¡Con lo que las lágrimas entretienen! Nunca he creído que, como dicen, el llorar consuele. Lo que pasa es que distrae mucho.

> (*Un corto silencio.* CRISTINA *ha estado pensando mientras* ENRIQUE *habla.*)

CRISTINA. (*Después de dudar un momento.*) —Escúchame, Enrique...

ENRIQUE. —Probaré. Pero no te prometo nada. Es una de las cosas que no sé hacer. Falta de costumbre. ¿Es muy importante lo que vas a decirme?

CRISTINA. —No vayas a creer... Es una tontería.

ENRIQUE. —Menos mal.

CRISTINA. —¿Ha tenido tu mujer alguna vez celos de ti?

ENRIQUE. —Pues mira: no se me ha ocurrido nunca preguntarle. Tal vez ella te pueda decir...

CRISTINA. —¿Nunca le has dado motivos?

ENRIQUE. —Sí. Muchas veces. Por eso. Estaba tan interesado con los motivos, que no tenía tiempo de ocuparme de lo demás.

CRISTINA. —¿Y tú..., has tenido celos de ella?

ENRIQUE. —¿Para qué?

CRISTINA. —Quiero decir ese temor, sin fundamento, claro, de que Isabel pudiera engañarte...

ENRIQUE. —Alguna vez, sí, lo he pensado, como piensa uno en cosas que les suceden a los demás y que estamos seguros de que no nos van a ocurrir nunca a nosotros. Lo mismo pensamos de la muerte...

(ENRIQUE, *mientras habla, en pie, junto a la mesa, ha tomado, como por juego, la vieja pistola que hay sobre la mesa.*)

CRISTINA. —¿Y has pensado también en lo que harías si...?

ENRIQUE. —Sí.

CRISTINA. *(Sin contener la ansiedad.)* —¿Qué? (ENRIQUE, *sonriendo, le muestra, por toda contestación, la pistola que tiene en la mano.)* ¿La matarías?

ENRIQUE. —¿A ella? No. *(Echándolo a broma.)* Sabe dónde están todas mis cosas, y sería una lata, por un motivo tan superficial, después de hacer justicia, tener que empezar a buscar en los armarios...

CRISTINA. *(Casi sin atreverse a preguntar.)* —Entonces...

ENRIQUE. *(Serio de pronto y creciendo en intensidad.)* —A él, sin duda alguna. A la menor sospecha. *(Acciona con la pistola en la mano.)* Sin darme tiempo a odiarle siquiera. Antes que la sangre me subiera a la cabeza y me cegara, como dicen que ciega, porque eso me quitaría la mitad del placer de matarlo. Fríamente. Saliéndole al camino de improviso, para no darle tiempo de pensar por última vez en ella. A traición, si fuese posible... Cualquier indicio, sin detenerme a considerar que pudiera ser falso, me bastaría...

CRISTINA. *(Asustada por la vehemencia de* ENRIQUE.*)* —¿Y si resultaba inocente?

ENRIQUE. —Mejor para él. Eso tendría que agradecerme. Entre morir culpable y morir inocente... *(Mira a* CRISTINA, *que está espantada.)* Perdona. Te he asustado. Tú tienes la culpa. ¿A quién se le ocurre hacer pensar a un marido en...? *(Se detiene y mira fijamente a* CRISTINA.*)* ¿Por qué me has preguntado si Isabel...?

CRISTINA. *(Vivamente.)* —Por nada. ¡No vayas a figurarte...!

ENRIQUE. —¿Es que sabes algo?

CRISTINA. —No seas absurdo. ¿Qué voy yo a saber?

ENRIQUE. *(Decidido, impaciente.)* —¿Dónde está Isabel?

CRISTINA. *(Apurada.)* —Arriba, en su cuarto, seguramente... Pero, por Dios, cálmate...

ENRIQUE. *(Como con una súbita sospecha.)* —¿Y Bernardo?
CRISTINA. *(Con vehemencia.)* —En el jardín. ¿No le oíste
hace poco? Está solo. Me andaba buscando... (ENRIQUE
se dirige a la puerta del jardín con la pistola en la mano.
CRISTINA, *en un grito:)* ¡Enrique!... ¡No!

> (ENRIQUE, *desde la puerta, se vuelve hacia*
> CRISTINA, *que está trémula, aterrada. Se echa*
> *a reír.* CRISTINA *le mira, sin comprender.* ENRI-
> QUE *vuelve, riendo, al centro de la escena.)*

ENRIQUE. —No se puede negar que tenemos grandes con-
diciones para el melodrama... Tu grito ha sido perfecto.
(Deja la pistola sobre la mesa.) Como un final de acto.
¡Y aún dicen que el teatro es caro! (CRISTINA *no com-*
prende ni las palabras ni el cambio de actitud de ENRI-
QUE.) De modo que éstos son tus famosos celos, ¿eh?
Mucho sufrir por tu marido, mucho temer que te en-
gañe... ¡Ah! Pero si te engaña, que no le pase nada.
Que la tragedia estalle lejos de él. Que, infiel y todo,
siga en pie, por lo que pueda ocurrir después... Tus
celos son falsos, Cristina. Están demasiado hechos de
amor, y se deshacen entre los dedos.

> (ENRIQUE *se ha sentado en el sofá y habla*
> *tranquilamente, ante el estupor de* CRISTINA.)

CRISTINA. —Pero ¿es que...?
ENRIQUE. —Que nada. Una invención para ver hasta dónde
llegaban tus celos. ¡Pobres celos! Pequeños, egoístas...
Que me tomase yo el trabajo de matar a mi mujer, y
que tu marido pudiera volver a casa, a pedir perdón y
ser perdonado. Muy cómodo. La tragedia, para Isabel
y para mí, ¿verdad? No me mires así. Todo lo que ha
pasado aquí, desde ayer, estaba perfectamente organizado.
CRISTINA. *(Todavía con una duda.)* —¿Todo?
ENRIQUE. —El asunto era mío, y parte del diálogo. Ellos
ponían la acción.
CRISTINA. —¡Ah! *(Después de pensar un instante.)* ¿Y Bernardo?

ENRIQUE. —No creas. Tuve que convencerle, porque tiene vocación de marido fiel. Era preciso para medir tus celos, aunque tuviera que correr un cierto riesgo. Ya hemos visto que ninguno. Los demás seremos los que, de ahora en adelante, cuando te veamos venir con tus celos, tendremos que subir a la acera.

CRISTINA. *(Pensativa.)* —Y ha sido capaz de...

ENRIQUE. —Ya yo has visto.

CRISTINA. *(Casi por ella misma.)* —Lo he visto, sí...

ENRIQUE. —Y ahora hay que decirles que el juego ha terminado, y no tienen por qué seguir representando.

CRISTINA. —Espera. Has dicho que mis celos son egoístas. Es verdad. Pero ¿tú sabes a lo que hay que llegar para eso, para que, de desearle todo el mal, pueda más otro instinto, casi maternal, de defenderle, ocultándole, debajo de las alas, de todo peligro? ¿Tú sabes lo que es el tormento de querer odiar con toda el alma y no poder odiar? No les digas nada. Aguarda. El juego no sería leal con un solo perdedor, contra el que los otros tres de la partida se han puesto de acuerdo para hacer trampas... Me debéis unas horas de angustia y las quiero cobrar.

ENRIQUE. —¿En qué moneda?

CRISTINA. —En la misma.

ENRIQUE. —¿Cómo?

CRISTINA. —Pues igual... Sólo que tú y yo.

ENRIQUE. —¡Qué barbaridad! ¡Pobre Isabel!

CRISTINA. —¿Ves? Antes no se te ocurrió decir: «¡Pobre Cristina!»

ENRIQUE. —Es distinto. Tus celos existían. Los de Isabel habría que hacerlos nacer. Es mucho más grave. Y, además, Isabel no me lo perdonaría nunca. Las mujeres hacéis del reproche una obra de arte... No me conviene.

CRISTINA. —Entonces, lo que de verdad piensas, en el fondo, es: «¡Pobre Enrique!»

ENRIQUE. —Bien; eso siempre, desde que me he convencido de que nadie se preocupa por mí con tanto desinterés como yo mismo.

CRISTINA. —¿No te atreves a hacerme el amor?...

ENRIQUE. —No es que no me atreva. Es que tú no conoces a mi mujer...

CRISTINA. —¿Tampoco permitirás que yo me enamore de ti?

ENRIQUE. —¡Ah! Eso es una prueba de buen gusto que nunca he podido evitar. Si yo no tengo nada que hacer...

CRISTINA. —Nada más que dejarte admirar.

ENRIQUE. —Muy fácil.

CRISTINA. —Tu vanidad hará lo demás insensiblemente. Por vanidad, los hombres dais muchas veces el poco amor que os sobra una vez colmado vuestro amor propio. Tú déjate mirar desde abajo, como si fueras tu misma estatua... A poca distancia, acabarás por dar la ilusión óptica del perfecto enamorado. Elogiaré tu talento, tu obra, tu ingenio...

ENRIQUE. —¿Sinceramente?

CRISTINA. —¿Qué más da? A los escritores, los elogios, como a las mujeres la galantería, les encanta, aunque sepan que no son de verdad.

VOZ DE BERNARDO. *(En el jardín.)* —¡Cristina!

CRISTINA. —Ahí está. ¿Dispuesto?

ENRIQUE. *(Alarmado.)* —¿Tan pronto? ¿Sin haber ensayado nada?

CRISTINA. —No te preocupes. Para mañana ya prepararemos algunos efectos. Ahora déjame a mí. Yo daré el tono. (CRISTINA *se sienta, arrodillada, en el sofá, junto a* ENRIQUE, *en actitud solícita, casi en adoración.)* ¡Háblame! [15]

ENRIQUE. —¿De qué?

CRISTINA. —En voz baja, de lo que quieras. Los ríos principales... La tabla de multiplicar... ¿te sabes las provincias de España?

ENRIQUE. —Las que tienen teatro...

CRISTINA. —Empieza.

ENRIQUE. —¿Por el Norte?

CRISTINA. —Por donde quieras.

ENRIQUE. —¿Hasta dónde?

15. Cristina se hace «directora» de esta famosa escena de teatro dentro del teatro.

CRISTINA. —Hasta donde resultes tan irresistible que no tenga más remedio que caer en tus brazos.

VOZ DE BERNARDO. *(En el jardín, más cerca.)* —¡Cristina!

CRISTINA. —Vamos...

ENRIQUE. *(Poco seguro, maquinalmente.)* —Coruña, Lugo, Orense y Pontevedra...

CRISTINA. —Con más misterio, hombre... Más insinuante...

ENRIQUE. *(En voz más baja.)* —Asturias... ¿Así?

CRISTINA. —Para empezar, no está mal.

> *(Aparece en la puerta del jardín BERNARDO, que se sorprende al ver a CRISTINA en el sofá junto a ENRIQUE. ENRIQUE habla en tono muy bajo y confidencial, sin que casi se le entiendan las palabras.)*

ENRIQUE. —León, Palencia, Valladolid, Zamora, Salamanca...

> *(CRISTINA se echa a reír como si acabase de oír algo sumamente ingenioso.)*

BERNARDO. *(En la puerta.)* —¡Cristina!

CRISTINA. *(Como distraída de una conversación interesantísima.)* —¿Qué? ¡Ah! ¿Eres tú?

BERNARDO. —Sí. ¿No me has oído llamarte?

CRISTINA. —No. ¿Me has llamado?

BERNARDO. —Desde hace media hora, en el jardín...

CRISTINA. *(Casi sin escucharle.)* —¡Ah! *(A ENRIQUE, interesantísima.)* Y entonces...

ENRIQUE. *(Ya divertido en el juego.)* —Figúrate... Santander, Burgos, Logroño, Soria, Segovia y Avila.

CRISTINA. *(Sorprendida.)* —¡No!

ENRIQUE. —Sí, sí. Segovia y Avila.

CRISTINA. *(Rompiendo a reír.)* —¡Qué horror!

BERNARDO. *(Impaciente.)* —¿Has estado aquí todo el tiempo?

CRISTINA. —¿Eh? ¡Ah! ¿Decías...?

BERNARDO. —Que si estabas aquí.

CRISTINA. *(Con la atención puesta en ENRIQUE.)* —Sí. Hace un rato.

BERNARDO. —¿Y no me has oído llamarte?

CRISTINA. —No creo... *(A* ENRIQUE.*)* Y tú, claro.
ENRIQUE. —Yo, como comprenderás..., Navarra.
BERNARDO. —Has tenido que oírme a la fuerza...
CRISTINA. —Pues te habré oído. No soy sorda. *(A* ENRIQUE.*)* ¡Imposible!
ENRIQUE. —Sí. Verás... Huesca, Zaragoza, Teruel...
BERNARDO. *(Impaciente.)* —¡Cristina!

> *(Pero* CRISTINA *ya no le escucha.* BERNARDO, *perplejo y molesto, no sabe qué hacer. Aparece* ISABEL *por la izquierda.)*

ISABEL. —¡Enrique! (ENRIQUE *no contesta. Habla precipitadamente, en voz muy baja.)*
ENRIQUE. —Huesca, Zaragoza, Teruel... Lérida, Gerona, Barcelona y Tarragona...
ISABEL. *(Después de mirar a* BERNARDO, *muy extrañada.)* —¡Enrique!
ENRIQUE. *(Distraídamente, sin volver la cabeza.)* —¿Qué, cariño?
ISABEL. —¿Tienes tú la pitillera y el encendedor?
ENRIQUE. *(Distraídamente.)* —No, cielo... *(A* CRISTINA, *con gran interés.)* Y en este momento..., Castellón de la Plana, Valencia y Alicante.

> *(Mientras habla, saca del bolsillo una pitillera y extrae de ella un cigarrillo, que se lleva a los labios. Lo enciende con un encendedor, que saca de otro bolsillo.* CRISTINA *ríe, casi a carcajadas. Isabel y Bernardo se miran nuevamente.)*

CRISTINA. —¡No! Eso ya...
ENRIQUE. —Sí. Pregúntale a Isabel, que no me dejará mentir.
ISABEL. —Sí, hijo, sí te dejo. Todo lo que quieras.
CRISTINA. —No, si te creo... ¡Sigue!
ENRIQUE. *(Animadísimo, en voz muy baja.)* —Murcia y Albacete... (CRISTINA *ríe, divertidísima.* ISABEL *los mira un poco irritada.* BERNARDO *se le acerca y le ofrece una cajetilla.* ISABEL *toma un cigarrillo.* BERNARDO *le ofrece una cerilla encendida.* ISABEL *enciende el cigarrillo. Nin-*

guno de los dos ha dejado de mirar hacia CRISTINA *y*
ENRIQUE) Madrid... Toledo... Ciudad Real... Cuenca...
(Triunfante.) ¡Y Guadalajara!

(CRISTINA *ríe a carcajadas.*)

TELÓN

ACTO TERCERO

La misma decoración del acto anterior.

Son las últimas horas de la mañana del día siguiente. Al levantarse el telón está en escena ENRIQUE, *arrodillado sobre el sofá y escribiendo sobre la mesa. Apenas ha escrito una palabra sobre una hoja cuando se detiene, piensa, niega con la cabeza, hace una bola con la hoja de papel y la deja sobre la mesa, junto a otras bolas de papel iguales que tiene al lado. Repite esta operación. Durante este juego aparece* DoÑA AURELIA, *sola, por la izquierda. Trae al brazo una bolsa de costura. Llega hasta su costurero. Lo abre y extrae de él su labor comenzada, que guarda en la bolsa. En silencio, después de haber dedicado a* ENRIQUE *la menor atención posible, vuelve a salir por la izquierda.* ENRIQUE *sigue entregado a su tarea de inutilizar hojas de papel, después de haber escrito dos líneas en ellas.*

Al cabo de un instante, aparece por la izquierda GERVASIO.

GERVASIO. —Señor.
ENRIQUE. —¿Eh?
GERVASIO. —Si el señor me permite, quisiera hablar un momento con el señor...
ENRIQUE. —¿Cuánto?
GERVASIO. —Completamente gratis, señor.
ENRIQUE. —Menos mal, Gervasio. Porque desde que se ha hecho usted de nuestro equipo, su tarifa es elevadísima.

GERVASIO. —Es la temporada, señor. En verano, en el Norte, ya se sabe... Pero ya no tendrá el señor ocasión de
volver a quejarse...

ENRIQUE. —¿Por qué?

GERVASIO. —Porque me he vuelto a pasar al enemigo.

ENRIQUE. —¿Por qué cantidad?

GERVASIO. —Por ninguna, señor. Ha sido un gesto ro-
mántico.

ENRIQUE. —¿A su edad, Gervasio?

GERVASIO. —Quise decir desinteresado.

ENRIQUE. —Ha hecho usted bien. De los gestos desintere-
sados se suele sacar mucho partido.

GERVASIO. —El señor, mi señor, me ha mandado llamar
en secreto, aprovechando la ausencia de la señora, que
ha bajado a no sé qué... Está en cama, enfermo... ¿Cómo
me podía negar? Son muchos años a su servicio... ¡Fí-
jese! Desde que era soltero. Seguí con él cuando nos
casamos con la señora. Y después, cuando se la pegamos
a la señora... Y, lo que fue mucho más difícil, cuando
hicimos las paces. Lo de siempre: que si yo había traído
y llevado... ¡Como si en esos casos, por mucho que
uno lleve y traiga, el otro se va a ir a Río de Janeiro,
contra su voluntad, con una bailarina!

ENRIQUE. —Sí. En esos casos, la mujer suele perdonar al
criminal, pero es implacable con los cómplices.

GERVASIO. —Porque odian el delito, pero les sigue gus-
tando el delincuente. Y ahora comprenda el señor...
Me ha llamado a su lecho...

ENRIQUE. —¿Para hacerle su última confesión?

GERVASIO. —No. Su última confesión me la hizo hace nueve
años. Ya no le quedan.

ENRIQUE. —Entonces...

GERVASIO. —Me ha rogado, entre tos y tos, porque está
que se ahoga, que venga a hablar con usted de un modo
muy confidencial. No ha de saberlo nadie. Y, menos, la
señora. Hasta me ha dicho que le pidiera su palabra de
honor... Pero yo, a eso, no me atrevo...

ENRIQUE. —Hubiera usted perdido el tiempo. Yo no doy
nunca mi palabra de honor hasta saber qué beneficios
me puede reportar el faltar a ella.

GERVASIO. —Creo que no he entendido bien. La solución
será un poco inmoral, ¿no?

ENRIQUE. —Según el sitio de donde se mire.

GERVASIO. —El señor hace bien. A su edad vale la pena
ser cínico. A la mía, ya no tiene el menor mérito.

ENRIQUE. —¿Y qué tripa se le ha roto a su señor?

GERVASIO. —Todavía, ninguna. Pero anoche, por lo visto,
lo que agarró, con el relente, fue un catarro tremendo.
Se quedó aquí más tiempo del que tiene por costumbre,
con todo esto abierto, esperando a que pasase algo que,
según él, iba a pasar. Y lo que pasó es que hoy está que
no se puede valer.

ENRIQUE. —¡Pobre hombre! ¿Y qué puedo hacer yo?

GERVASIO. —Pues, según mi señor, y con la mayor reser-
va, usted puede arreglar las cosas de manera que lo que
parece que tiene que pasar, pase arriba, en su cuarto.
Dice que como es una pieza muy amplia y tiene una
puerta a la terraza para entradas y salidas, pues, con un
poco de imaginación, se podría conseguir... [16]

ENRIQUE. —¡Qué barbaridad! ¿Con él allí, metido en la
cama?

GERVASIO. —Dice que por su parte, para demostrar su deseo de llegar a una fórmula, se levantaría de la cama,
se pondría una bata y se estaría quieto en un sillón, sin
molestar para nada.

ENRIQUE. —¿Que nos metamos en su alcoba a resolver
nuestros asuntos privados?

GERVASIO. —No, si él reconoce que resulta un poco raro;
pero dice que no ha pegado un ojo en toda la noche,
pensando en lo que podía pasar sin verlo él... Porque
contado, claro, ya no es lo mismo. (Hay un corto silencio. ENRIQUE sonríe, pensativo.) ¿Qué le digo?

ENRIQUE. —Pues que lo siento mucho... Que no se trata
sólo de mí. Somos mucha gente, y por muy grande que
sea la habitación...

GERVASIO. —Grande, sí es. Por espacio no se preocupe.

16. Como entradas y salidas del escenario de un teatro, Don Pedro ha observado las intrigas como si fueran puro teatro y desea ver
representado el desenlace de la «comedia».

ENRIQUE. —¿No comprende usted, hombre? Siempre pare-
cería una versión radiofónica. Y, además, si lo que tiene
es la gripe, puede ser peligroso para los intérpretes.

GERVASIO. —Claro. Si yo ya le he dicho que me parecía...
Ahora, que gripe no creo que sea, ¿eh? Tose mucho,
eso sí, pero respecto a microbios...

ENRIQUE. —Pues ya ve usted. En cuanto hay uno que tose,
los demás no se enteran de nada. En el teatro, acuér-
dese, ¡como se le ocurra toser al de al lado en el momento preciso, nos quedamos sin saber quién hereda,
por fin, la fortuna del indiano!

GERVASIO. —Ahora siempre hereda la criada, señor. El
teatro ha vuelto a ser una escuela de buenas costumbres. (ENRIQUE *sonríe.* GERVASIO *espera aún una decisión.*) Según eso...

ENRIQUE. —Dígale que es imposible.

GERVASIO. *(Triste.)* —Se va a llevar un disgusto terrible...

ENRIQUE. —Lo más que puedo hacer es mandarle cada
media hora el parte con un ciclista.

GERVASIO.—Se lo agradecerá mucho. Y yo también, porque estoy viendo que me va a dar el día. ¡Y ya que
hemos hechho las paces!... *(Se calla al ver entrar a* CRIS-
TINA *por la izquierda.* CRISTINA *trae una bolsa de labor
al brazo.)* ¿Desea el señor una copa de jerez? *(Ante el
gesto de* ENRIQUE.) Por cuenta de la casa...

ENRIQUE. —No, Gervasio. Muchas gracias.

    (GERVASIO *se inclina, y sale por la izquier-
da.* CRISTINA *va a sentarse en el sofá.)*

CRISTINA. —¿No han vuelto?

ENRIQUE. —No. Y esto de tenerlos dando vueltas de un
lado para otro, representando su papel sin público, me
parece ya crueldad mental. Tener que pasar por enamorados y, al mismo tiempo, sospechar de nosotros...

CRISTINA. —Hasta ahora no les hemos dado muchos motivos para sospechar...

ENRIQUE. —¡Ah! ¿Te parece poco lo de anoche? Se me
acabaron las provincias españolas y tuve que seguir con
el norte de Africa, que no me lo sé muy bien...

CRISTINA. —¿Has escrito la carta?

ENRIQUE. —No he podido terminarla. ¡Si es que me tenéis entre dos fuegos! He terminado el borrador de otra, para que la copie Isabel en uno de sus papeles llamativos y la encuentres tú en uno de los bolsillos de tu marido...

CRISTINA. —¡Ah! ¿Sí? ¿Y qué dice?

ENRIQUE. —¡Bah! Lo de siempre. Ya la leerás. Y ahora me había puesto a escribir el borrador de la tuya para mí.

CRISTINA. —¿No quedamos en que eras tú el que iba a escribirme?

ENRIQUE. —Sí, pero lo he pensado mejor. Como se trata de un asunto tuyo con tu marido, lo natural es que arrostres tú las consecuencias. A mí, al fin y al cabo, lo de dejarme admirar no me compromete. Pero una carta de amor mía, dirigida a otra mujer, en manos de Isabel... ¡No lo quiero ni pensar!

CRISTINA. —¿Dónde está el borrador?

ENRIQUE. —Si no he hecho más que empezar, ¿no te digo? Es la segunda carta de amor de esposa infiel en una mañana. La de Isabel me ha resultado fácil, porque es mi mujer y la conozco bien. La tuya es otra cosa.

CRISTINA. —Todas las cartas de amor de mujer se parecen.

ENRIQUE. —No se parecen más que en que acaban pidiendo dinero. Las de la mujer propia, con más violencia.

CRISTINA. —Porque el matrimonio les ha dado más derecho.

ENRIQUE. —Más derecho a la violencia. Yo no conozco tu estilo y, en cambio, Bernardo debe reconocerlo... ¿Te das cuenta?

CRISTINA. —Tampoco es preciso hacer literatura...

ENRIQUE. *(Con cierto orgullo.)* —Uno...

CRISTINA. —Basta con unas líneas muy significativas. «Te espero en tal sitio.» O, mejor, «en el sitio de siempre». No es tan determinado y compromete mucho más.

(Aparecen por la izquierda DOÑA AURELIA *y* DON PEDRO. DON PEDRO *viene apoyado en el brazo de* DOÑA AURELIA *y está notablemente desmejorado. Viste un pantalón oscuro y un batín de lana con cuello de seda. Al cuello, un*

pañuelo de seda que no sea enteramente blan-
co. Puede calzar unas zapatillas, a condición de
que sean de buena calidad. No debe dar sensa-
ción de desaliño ni de comodidad casera. Por
el contrario, se ve que ha cuidado especialmen-
te su aspecto, a pesar de hallarse enfermo, y
está casi elegante. Les sigue GERVASIO *con una*
manta de viaje al brazo. Se siente toser dentro
a DON PEDRO *antes de aparecer. Entra en es-*
cena en pleno golpe de tos.)

DOÑA AURELIA. —¡Cuidado con el escalón! (DON PEDRO
contesta algo así como «Ya sé que hay un escalón.
¿Crees que soy tonto?», malhumorado, pero la tos no
permite percibir claramente sus palabras. Baja el escalón
con dificultad.) Es una locura que te hayas levantado
de la cama. Y bajar, no digamos... (DON PEDRO *tose a*
conciencia y, a mitad de camino hasta su sillón, se ve
obligado a apoyarse en la mesa.) No te puede sentar bien.

DON PEDRO. *(Irritado.)* —¡Ya lo sé! Algunos se saldrán
con la suya. ¿Quieren que me muera? Pues me moriré,
pero en primera fila.

(Han llegado, trabajosamente, hasta sus bu-
tacas. CRISTINA *no comprende la indignación de*
DON PEDRO. ENRIQUE, *sin mirarles, sonríe.*
Cuando DON PEDRO *se ha sentado,* GERVASIO
le envuelve las piernas en la manta y sale por
la izquierda.)

DOÑA AURELIA. —Vamos, cálmate. Cuando te excitas te da
más tos. Y cuando te da más tos, te excitas más. Y así...

DON PEDRO. —¡Bastante le importa a nadie que yo tosa!
¡Mi salud no cuenta para nada en esta casa, por lo
visto!

DOÑA AURELIA. *(Paciente.)* —No te entiendo, hijo. Si no
hablas claro...

DON PEDRO. —Mi habitación es casi tan grande como
ésta, ¿no?

DOÑA AURELIA. —Sí, pero ¿qué tiene que ver?

DON PEDRO. —Y por pasar por ella no creo que se le caigan a nadie los anillos...

DOÑA AURELIA. —No te entiendo, y menos ahora, que se le van a caer los anillos a no sé quién.

DON PEDRO. *(Irritado.)* —¿No puede tener lugar en mi habitación lo que tiene lugar en cualquier otro sitio?

DOÑA AURELIA. *(Calmándole.)* —Sí, hombre. Todo lo que quieras. ¿El encierro de Pamplona también?

> *(DON PEDRO, molesto, no contesta, y se dedica a toser. ENRIQUE ríe. CRISTINA no se explica a qué viene todo aquello, y mira a ENRIQUE. DON PEDRO toma y lee a medias un periódico.)*

CRISTINA. —Bueno,, ¿dónde está el borrador de mi carta?

ENRIQUE. *(Señalando los papeles que hay sobre la mesa.)* —Aquí, en todos esos papeles... Apenas un par de palabras en cada uno. *(Desarruga dos de las hojas y las compara.)* Tú para dirigirte a mí tiernamente, ¿qué hubieras puesto: «Cielo mío» o «Imbécil»?

CRISTIUA. —A ti, no sé. A mi marido le hubiera puesto: «Cielo mío».

ENRIQUE. —Sí, una de las ciencias más útiles de la vida del hogar es la del disimulo.

CRISTINA. —¡Ah! ¿Y en qué escuela se aprende?

ENRIQUE. —Supongo que, como todo lo referente al matrimonio, en las escuelas de terrorismo.

> *(ENRIQUE ha vuelto a desarrugar más papeles. Se los muestra a CRISTINA. Cuando CRISTINA va a tomarlos, oye algo fuera de escena. Se asoma a la puerta del jardín y vuelve apresuradamente.)*

CRISTINA. —Ahí vienen.

ENRIQUE. —¡Ah! Pues me voy, y me llevo los cuerpos del delito.

CRISTINA. —¿Por qué? Sólo hay una palabra en cada hoja...

ENRIQUE. —Pero ¡qué palabras! Amor, cielo, encanto, vida, tesoro... Y todas con mi letra, ¿comprendes? Isabel es lo bastante inteligente para suponer que, al cabo de cierto tiempo, un marido no escribe así a su mujer, como no lleve unos meses separado de ella y en un sitio particularmente aburrido.

CRISTINA. —En el jardín, dentro de diez minutos, para hacer una entrada brillante.

ENRIQUE. —Sin exagerar, ¿eh? Porque ni seríamos nosotros tan tontos como para no disimular, ni ellos como para no caer en la cuenta. No hay que forzar la nota de la pasión. Ya ves, ellos, con qué discreción lo han hecho todo.

CRISTINA. (Casi para sí.) —Es verdad. (Queda un poco pensativa, mientras ENRIQUE sale por la izquierda con las manos llenas de papeles. CRISTINA se dirige hacia el fondo, cuando aparecen ISABEL y BERNARDO. BERNARDO deja asomar ostensiblemente en uno de los bolsillos de su americana un sobre de papel de cartas marcadamente femenino, de color rosa o violeta. CRISTINA se detiene al verles. Con un leve tono de desencanto.) ¡Ah! ¿Sois vosotros?

ISABEA. —Sí.

BERNARDO. —¿Quién creías que era?

CRISTINA. —No, nadie. (Vuelve y se sienta en la butaca.)

BERNARDO. —¿Tanto interés por nadie?

CRISTINA. (Con fingida sorpresa.) —¿Interés? ¿Quién? ¿Yo?

> (Reanuda su labor. ISABEL y BERNARDO se miran. ISABEL hace una seña a BERNARDO indicándole la carta que lleva en el bolsillo. BERNARDO comprende y se arranca un botón de la americana.)

BERNARDO. —Cristina, ¿quieres coserme este botón?

CRISTINA. —Sí. Dame.

> (Bernardo se acerca a ella con el botón en la mano.)

BERNARDO. —No hay prisa.

CRISTINA. —No la tendrás tú...

Bernardo. —¿Tú, sí?
Cristina. —No; pero, a lo mejor...
Bernardo. —¿Qué?
Cristina. —Nada. *(Impaciente.)* ¡Trae, hombre! (Bernardo *se coloca al lado de* Cristina, *de modo que se advierta la carta que asoma en su bolsillo.* Cristina *previene hilo y aguja.* Bernardo *le entrega el botón.)* Está arrancado.

> *(Isabel se ha sentado al otro extremo del sofá. Toma de la mesa su libro y se dispone a fingir que lee, sin perder detalle de la escena.)*

Bernardo. —¿En qué se nota?
Cristina. —Es como la fruta. Se ve cuándo ha sido arrancada o cuándo ha caído madura... Y, además, hace un instante, al entrar, lo traías en su sitio...
Bernardo. —Se me estaba cayendo y... Te habías fijado, ¿eh?
Cristina. —La costumbre, hijo. Una esposa debe comprobar siempre si su marido vuelve incólume. Vas a perder esto.

> *(Empuja la carta dentro del bolsillo de* Bernardo. *Ha ensartado el botón y va a coserlo en la americana.)*

Bernardo. —Espera. Me la voy a quitar.
Cristina. —No es preciso.
Bernardo. —Sí. Te será más cómodo.
Cristina. —No estamos solos...
Bernardo. —¡Bah! Isabel es de confianza, ¿verdad?
Isabel. —Naturalmente. ¡Por mí...!
Bernardo. *(Quitándose la americana.)* —Ya lo ves. Tengo permiso.
Cristina. *(Por* Doña Aurelia *y* Don Pedro.) —Siempre hay alguien más que nos está viendo.
Bernardo. *(Mirando al techo.)* —Sí, pero está acostumbrado.

> *(*Cristina *ha tomado la americana de* Bernardo *y la ha colocado sobre su regazo. Em-*

pieza a coser el botón. BERNARDO *ha cuidado de que la carta vuelva a asomar en el bolsillo, ante los ojos de* CRISTINA. BERNARDO *observa a* CRISTINA *que cose tranquilamente.)*

CRISTINA. —¿Es ya la una?

BERNARDO. *(Mirando su reloj.)* Faltan diez minutos.

CRISTINA. —¡Ah! Tengo tiempo.

(Hay un silencio. BERNARDO *mira a* CRISTINA, *un poco extrañado.* CRISTINA, *sin levantar la vista de su costura, y como para sí, ríe.)*

BERNARDO. —¿De qué te ríes?

CRISTINA. *(Riendo.)* —De nada. Figúrate que Enrique dice que...

(Se detiene, BERNARDO *espera, impaciente, el final de la frase.)*

BERNARDO. —¿Qué?

CRISTINA. —Es una tontería. No la ibas a comprender...

(CRISTINA ríe de nuevo por lo bajo. Hay un silencio mucho más violento. Isabel ha levantado los ojos del libro. Cambia una mirada con BERNARDO, *que está furioso.* ISABEL *sonríe.)*

BERNARDO. —Y tú, ¿de qué te ríes ahora? ¿De otra tontería que tampoco voy a comprender?

ISABEL. —O de la misma, quizá.

(BERNARDO está a punto de estallar. La entrada de GERVASIO, *por la izquierda, le contiene.* GERVASIO *trae en la mano una bandeja de plata con el correo, como en el acto primero. Coloca la bandeja sobre la mesa e inicia la salida.)*

DOÑA AURELIA. —¡Gervasio!

GERVASIO. —Señora...

DOÑA AURELIA. —Ocúpese de que esté el almuerzo. Es casi la una.

GERVASIO. —Muy bien, señora.

DON PEDRO. *(Dejando caer el periódico sobre sus rodillas.)*
—Hoy podemos almorzar más tarde...

DOÑA AURELIA. —¿Por qué?

DON PEDRO. —No tengo el menor apetito... Cuando no
pasa nada en todo el día, como en los barcos, la hora
de comer es una solución. Pero hoy estoy tan interesado
por ver en qué queda...

DOÑA AURELIA. *(Vivamente, señalando el periódico.)* —¿Lo
de Rusia?

DON PEDRO. *(Justificándose.)* —Sí. Eso es. lo de Rusia,
claro...

DOÑA AURELIA. —No pasará nada. Ya lo verás.

DON PEDRO. —Eso es lo que quiero, verlo. *(A GERVASIO.)*
Almozaremos a la misma hora que los rusos.

GERVASIO. *(Sin comprender.)* —¿Y a qué hora?

DON PEDRO. —No sea torpe, Gervasio, Pregunte en la cocina. Allí lo sabrán.

DOÑA AURELIA. —Claro, ¿no ve usted que están sindicados?

GERVASIO. *(Que no ha comprendido una sola palabra, pero
sin marcarlo mucho.)* —Perfectamente.

(Sale GERVASIO por la izquierda.)

BERNARDO. *(A CRISTINA.)* —Ha llegado el correo...

CRISTINA. —Ya he visto... *(BERNARDO toma la bandeja y
la ofrece a CRISTINA. Esta le mira sin hacer el menor
ademán para tomarla.)* ¿Qué?

BERNARDO. —¿No lo quieres revisar?

CRISTINA. *(Con marcada indiferencia.)* —No. ¿Para qué?
*(BERNARDO, nervioso, retira la bandeja. CRISTINA, viva-
mente.)* ¡A ver, deja!... *(BERNARDO, animado, como si
hubiese conseguido algo, le presenta la bandeja. CRIS-
TINA no toma ninguna carta. Sólo señala la que hay
encima.)* ¡Qué sello tan raro! De Cuba. Azul y con
un puro...

BERNARDO. *(En broma forzada.)* —No sé de quién será. Tal
vez de una mujer...

CRISTINA. —¿Con un puro en el sello? No me parece...
Será de un hombre. De un hombre de negocios. Trae.

(Toma el sobre y arranca el sello. BERNARDO *queda con la bandeja en la mano. Revuelve las cartas. Leyendo el sello en voz alta.)* República de Cuba... Cinco centavos.

BERNARDO. *(Mostrando la bandeja.)* —Lo demás, ¿no te interesa?

CRISTINA. *(Devolviéndole la carta en la bandeja.)* —Ni lo más mínimo.

> *(*BERNARDO, *malhumorado, tira de golpe la bandeja sobre la mesa.* CRISTINA *ha dejado el sello sobre la mesa.* DOÑA AURELIA *ofrece a* DON PEDRO *su álbum de sellos.)*

DOÑA AURELIA. —No sé dónde he oído que Cuba ha lanzado una emisión nueva de cinco centavos... ¿Tienes alguno?

DON PEDRO. *(Sin tomar el álbum.)* —Creo que no. Deja, ahora...

DOÑA AURELIA. *(Dejando el álbum en su sitio.)* —No tienes el día filatélico...

DON PEDRO. —No. Hoy me apasiona la Historia Natural.

CRISTINA. *(Que ha terminado de coser el botón.)* —¡Ea, ya está! ¡Toma!

> *(Entrega la americana a* BERNARDO. *Este, al tomarla, con intencionada torpeza, deja caer la carta que había en el bolsillo sobre el sillón de* CRISTINA.*)*

BERNARDO. —Muchas gracias.

CRISTINA. —De nada. Mira, se te ha caído esto. *(Recoge la carta y la alarga a* BERNARDO, *que se está poniendo la americana.* BERNARDO *mira a* CRISTINA, *sin tomar la carta que ésta le ofrece.)* ¡Toma, hombre! *(*BERNARDO, *sin poder disimular su furia, toma el papel y lo guarda en su bolsillo.)* Y ten cuidado, porque se te está cayendo todo el tiempo. Si es algo importante, de algún negocio... *(Se huele los dedos.)* ¡Huy, qué barbaridad! ¡Qué perfume! *(Guarda la aguja y el hilo en su bolsa de costura y se pone en pie.)* Bueno, hasta ahora...

BERNARDO. —¿Dónde vas?

CRISTINA. —Al jardín.
BERNARDO. —¿Te acompaño?
CRISTINA. —¿Para qué? No voy más que a la glorieta. Adiós, Isabel.
ISABEL. *(Leyendo, indiferente.)* —Adiós.

(CRISTINA se vuelve a oler la mano.)

CRISTINA. —Ya no usas «Bon soir, amour», ¿verdad?
ISABEL. —No.
CRISTINA. —¿Este es nuevo?
ISABEL. —Sí.
CRISTINA. —¿Cómo se llama?
ISABEL. —«Plan Marshall».
CRISTINA. —Muy penetrante. *(A* BERNARDO.*)* A esto es a lo que tú olías anoche. «Plan Marshall». No sabía que estuvieses incluido.

(Va hacia la puerta del jardín.)

BERNARDO. *(Queriendo bromear.)* —Cuidado, que puedo ir a sorprenderte...
CRISTINA. *(Desde la puerta.)* —No te lo aconsejo. Lo grave de las sorpresas es que nunca se sabe quién va a resultar más sorprendido.

(Sale alegremente. BERNARDO, *sin saber qué contestar, le ve salir. Se vuelve a* ISABEL. *Ésta finge estar abstraída en su lectura.)*

BERNARDO. —¿Has oído, Isabel?
ISABEL. *(Indiferente.)* —Sí. Me suena a Enrique.
BERNARDO. —Me refiero a lo de la glorieta.
ISABEL. —¿Qué?
BERNARDO. *(Nervioso.)* —Nuestra glorieta.
ISABEL. —¿Nuestra? No te entiendo.

(Vuelve a leer. BERNARDO *cree comprender, y vuelve la vista hacia* DOÑA AURELIA *y* DON PEDRO.*)*

BERNARDO. —¡Ah!

(Doña Aurelia y Don Pedro, que esta-
ban pendientes de la escena, al verse sorprendi-
dos por la mirada de Bernardo, tratan de disimular, apresuradamente. Doña Aurelia rea-
nuda su labor. Don Pedro tose, con una tos
falsísima esta vez, mientras toma el periódico
y se oculta tras él. Bernardo pasea, nervioso,
silbando mal cualquier aire de moda.)

Isabel. (Molesta, sin perder su frialdad.) —¡Bernardo!
Bernardo. (Deteniéndose.) —Dime.
Isabel. —¿No puedes silbar más bajo..., o silbar mejor?
Por lo menos, anuncia lo que vas a silbar, para ahorrar
el esfuerzo de tener que adivinarlo.
Bernardo. (Ofendido.) —Ahora va a resultar que tengo
mal oído...
Isabel. —Sí. Y mucho peor olfato.

(Bernardo la mira, a punto de estallar. Isabel ha vuelto a su actitud de hacer que lee.)

Doña Aurelia. (A Don Pedro.) —Estoy pensando que
un poco de sol te sentaría bien...
Don Pedro. —¿Tú crees?
Doña Aurelia. —Sí. Aquí, ahora, no vas a adelantar nada.
Don Pedro. —Puede que tengas razón. Pero lo indispen-
sable nada más, ¿eh?

(Se ponen en pie y salen a la terraza. Don
Pedro toma la dirección que siguió Cristina.)

Doña Aurelia. —A la glorieta, no, Pedro. No es correcto
a esta hora...
Don Pedro. —¿Correcto?
Dona Aurelia. —Saludable, quise decir...

(Van hacia el otro lado. Isabel y Bernardo esperan a que hayan desaparecido. Isabel
alza los ojos del libro y mira francamente a
Bernardo.)

Isabel. —Bueno; di de una vez lo que estás pensando.

BERNARDO. —¿Es que no lo has oído? Están juntos...

(ISABEL *le mira, sonriendo de un modo iró-*
nico.)

ISABEL. —... en nuestra glorieta... ¿Qué temes? ¿Que
nuestro beso de anoche haya ido a parar allí otra vez?
Es lo que tienen los besos culpables, como los nuestros,
que acaban por no ser ni nuestros siquiera... (BERNAR-
DO, *agitado, empujado por las palabras de* ISABEL, *va*
hacia la puerta del jardín. ISABEL, *secamente.)* ¿Dónde
vas, Bernardo? (BERNARDO *se detiene y se vuelve hacia*
ISABEL.) ¿Es posible que seas tan torpe, o tan ciego,
que no has pensado en que ni siquiera estén juntos en
la glorieta?

BERNARDO. —¿Dónde, entonces?

ISABEL. —... Que puede que ni siquiera estén juntos..., y
que, si lo están, importa poco... (BERNARDO, *sorprendi-*
do, mira a ISABEL, *interrogante.)* Porque no hay nada
entre ellos, ¿no lo comprendes?... No es más que un
juego nuevo, inventado por Cristina cuando se ha dado
cuenta del nuestro... De lo que cree nuestro juego...

BERNARDO. *(Con un involuntario gesto de alegre esperan-*
za.) —¿Es posible?

ISABEL. —¿No te has dado cuenta, con lo de la carta, de
que ya no jugaba a sus celos, sino a los tuyos? (BER-
NARDO, *feliz, tiene el impulso de ir hacia el jardín.* ISA-
BEL, *con rencor.)* Corre... Búscala... Pídele perdón...
(BERNARDO *se detiene, un poco avergonzado, y vuelve*
hacia ISABEL.) Pídele perdón por lo único que puedes,
sin confesarte... Por la broma... Búscala, y tráela en
tus brazos. Y ten el valor de besarla delante de mí,
como anoche...

BERNARDO. *(Confuso.)* —Se iba a dormir...

ISABEL. *(Implacable.)* —Se iba a esperarte, despierta.

BERNARDO. *(Turbado, sin saber qué decir.)* —¿Qué te pasa,
Isabel?

ISABEL. —¿Qué quieres que me pase? Que ha bastado una
sospecha, una chispa de celos, encendida del modo más
burdo que se puede imaginar, para que ya no puedas

disimular ante mí lo único que debías disimular: que estás loco, o tonto, por ella...

BERNARDO. *(Como encontrando una justificación.)* —Es mi mujer...

ISABEL. —¿No lo era lo mismo el día en que por capricho...?

BERNARDO. *(Con un reproche.)* —Isabel...

ISABEL. —O por vanidad... O hasta por amor, si quieres, ya ves que te concedo, me tuviste en tus brazos por primera vez. Era tu mujer, tanto como ahora, y, entonces, pudiste olvidarlo... Yo, no. Porque yo sabía que no iba a ser para ti más que aquello. Conté todos los riesgos... Pensé en todos los finales: el cansancio, el desamor, el olvido, el engaño... Todos, menos uno.

BERNARDO. —¿Cuál?

ISABEL. —El de que volvieras a estar enamorado de ella. Yo podía resignarme a que tu amor me lo robase otra mujer, pero ¡la misma!... El que un hombre nos deje para volver con la que ha querido antes es lo único que no podemos perdonar, lo que hace más inútil, y más torpe, nuestra caída... Volver a estar enamorado de ella, si algo me debes, es la peor ofensa que podías hacerme. El mundo está lleno de mujeres. Con cualquiera, Bernardo, menos con ella... A ella me la habías sacrificado.

(Saca un pañuelo y se lo lleva a los ojos.)

BERNARDO. *(Incómodo.)* —¿Lágrimas, Isabel?

ISABEL. *(Irritada consigo misma.)* —Ya lo ves. Sí. Estoy llorando, para que no falte nada. Para desarmarme más todavía; para que no me quede ni un resto de dignidad que oponer, ni un sarcasmo con que defenderme. ¡Estas estúpidas lágrimas de mujer, que no sirven para nada..., que alteran los nervios de los hombres, y destruyen la última esperanza!... Después de estas lágrimas, siempre hay un portazo, tras el que el hombre respira, liberado...

BERNARDO. *(Acercándose a ella.)* —Isabel...

ISABEL. *(Secando sus lágrimas, y recobrando su dureza.)* —¡Déjame! Ya me has visto llorar. ¿Qué más quieres? Lo que no me puede devolver tu cariño, me va a dar,

en cambio, lo que no quiero de ti, la compasión... Para
que puedas estar orgulloso, ya has sido dueño hasta de
mi flaqueza... ¿Cuando habéis visto llorar por vosotros
a una mujer, os ponéis los hombres alguna marca, como
los aviadores en la guerra cuando derriban un aparato
enemigo? (BERNARDO *calla, pensativo, preocupado.*) ¿En
qué piensas?

BERNARDO. —Perdona...

ISABEL. —En ella...

BERNARDO. *(Que ya no cree necesario fingir.)* —¿Tú crees
que fue ella quien se acercó anoche a la glorieta?

ISABEL. —Sí.

BERNARDO. —Y que, ¿ahora estás segura de que todo era
un juego?

ISABEL. —¿Era un juego aquel beso, Bernardo?

BERNARDO. *(Sordamente.)* —No.

ISABEL. —¿Y quieres que ella, que conoce tus besos mejor que nadie, no crea?... (BERNARDO, *preocupado, no
contesta.* ISABEL *concentra toda su venganza en una
idea, y dice, dejando caer las palabras.)* Ese beso es lo
que dejo entre ella y tú.

BERNARDO. *(Alejando la idea.)* —Siempre le quedará la
duda...

ISABEL. *(Con una sonrisa implacable.)* —¿Y te parece poco?
(BERNARDO *la mira y calla, desarmado. Por el fondo
entran* DOÑA AURELIA *y* DON PEDRO. ISABEL *se seca
los ojos apresuradamente, y le habla en un tono superficial y alegre.* DOÑA AURELIA *y* DON PEDRO *vuelven a
sus lugares y a sus ocupaciones habituales.* ISABEL, *casi
riendo, como si terminara de contar una historia muy
graciosa.)* Y el pobre creyó que iba a poder volver con
su mujer, como si tal cosa, después de todo... *(Aparece,
por la izquierda,* ENRIQUE, *a tiempo de oír casi todas las
palabras de* ISABEL.) Pero no contaba con que ella no
estaba dispuesta a perder completamente la batalla, y

había decidido que alquel mismo día...

ENRIQUE. —¿Conozco yo el cuento?

ISABEL. —No sé.

ENRIQUE. —Es que no me gustan los cuentos verdes, sobre todo cuando ya me los han contado antes.

(Se dirige al jardín.)

ISABEL. —¿Dónde vas?

ENRIQUE. —Ahí, a... Cristina quiere que...

ISABEL. —No te molestes.

ENRIQUE. —¡Ah! ¿No?

ISABEL. —No.

ENRIQUE. —Lo sabéis ya. ¿Os lo ha dicho ella?

BERNARDO. —No.

ENRIQUE. (A ISABEL.) —¡Lo has adivinado tú, claro! (Va a ella y la besa.) ¡Eres un genio! ¡Qué pena que seas mi mujer! ¡Con lo que me gustaría enamorarme de ti! (Saca su cuadernito y apunta la frase. A BERNARDO.) A ti, ¡cómo se te iba a ocurrir que...!

BERNARDO. (Molesto.) —¿Por qué no?

ENRIQUE. —Porque estás enamorado de Cristina, y cuando uno está enamorado no le queda talento para nada. (A ISABEL.) Por eso tuve que dejar de pensar en ti. Nos hubiéramos muerto de hambre. (A BERNARDO.) Bueno, y si ya sabes que era una broma, ¿por qué no corres a buscarla y nos ofrecéis el tierno espectáculo de vuestra reconciliación? A ésta le encantará, porque es muy aficionada a los festejos populares. (A ISABEL.) ¿Verdad?

ISABEL. (Con intención.) —Sí. Será gracioso... por un rato...

ENRIQUE. —Naturalmente. El amor ajeno no interesa. Suele estar mal copiado del nuestro. (BERNARDO, violento, sin decir nada, sale por el fondo. ENRIQUE, sin comprender su reacción.) ¿Qué le pasa a éste ahora?

ISABEL. —Teme que Cristina sepa que la ha engañado de verdad.

ENRIQUE. *(Sin sorprenderse mucho.)* —¡Mira!... ¡Si ya me
parecía a mí!... ¿Cuándo ha sido?

ISABEL. —Este invierno.

ENRIQUE. —¿En Madrid?

ISABEL. —¿Cuándo has oído que esas cosas pasen en Avila?

ENRIQUE. —¿Y con quién? ¿Tú lo sabes?

ISABEL. —No.

ENRIQUE. —¿Ni sospechas?

ISABEL. —Madrid es muy grande.

ENRIQUE. —Sí, pero fuera de unas cuantas calles...

ISABEL. —Creo que con la mujer de un amigo de él...

ENRIQUE. —¡Claro! Es lo que les pasa a los hombres demasiado fieles a sus mujeres. Como no se separan de
ellas, pues tiene que ser con alguien conocido, o de la
familia... ¡Se les presentan tan pocas oportunidades!
(Abraza a ISABEL.*)* Con las mujeres que yo te engañé
no te encontrarás nunca... Es una atención que te debo
a ti... Y que les debo a ellas.

ISABEL. *(Rehuyendo hábilmente el abrazo.)* —Debemos mar-
charnos de aquí

ENRIQUE. —Si quieres...

ISABEL. —Hoy mismo.

ENRIQUE. —¿Tan pronto? ¿Por qué?

ISABEL. —¿No comprendes? La situación, cuando ella lo
descubra, va a ser muy violenta...

ENRIQUE. —¿Por qué lo ha de descubrir? Claro que Bernardo debe ser muy torpe para estas cosas...

ISABEL. —Teme que alguien se lo diga... Tal vez, por carta,
alguna amiga mal intencionada..., o la misma...

ENRIQUE. —Bueno, pero nosotros, que no podemos darnos
por enterados, ¿con qué pretexto nos podemos ir así,
de pronto?

ISABEL. —¿No has traído ese telegrama que empleamos
cuando nos aburrimos en un sitio y queremos irnos?

ENRIQUE. —Seguramente. Va siempre en mi maletín, para
los casos extremos. Pero está muy usado y medio roto...

Nadie puede creer que acaba de traerlo el repartidor de Telégrafos, como no lo haya traído arrastrando por el suelo... Además, dice: «Lola, gravísima. Operación, mañana.—Tío Antonio.»

ISABEL. —¿Y qué?

ENRIQUE. —Que éstos saben que tía Lola salió bien de la operación, y que ya come de todo... ¡Y de qué manera!

ISABEL. —Por eso. Ha podido recaer.

ENRIQUE. —Es que también éstos saben que el que se murió a fin de año fue tío Antonio. Y resulta un poco raro que nos ponga un telegrama...

ISABEL. —Comprenderán que si tío Antonio, después de muerto, nos pone un telegrama, es que, de verdad, tía Lola está en las últimas. Donde él esté se deben saber esas cosas con anticipación.

ENRIQUE. —Tú lo que quieres es que se den cuenta exacta de que es un pretexto para irnos.

ISABEL. —Eso, y creo que, en su situación, no estarán para pensar en nada.

ENRIQUE. —¿Esperas lo peor?

ISABEL. —Sin remedio.

ENRIQUE. —¡Pobrecillos! Oye, y nosotros, ¿no podríamos hacer nada por...?

ISABEL. —Muy difícil. Todo depende de que yo pueda hablar con ella antes que se encuentren.

ENRIQUE. —Anda, sí. ¡Si consiguieras...! Porque la pobre se va a llevar un disgusto tremendo. Por él, no me importa. Estos aficionados, con su inexperiencia, son los que nos estropean el terreno a los profesionales. Ahora tú, por una temporada, recelarás de mí. Es lo que traen los malos ejemplos.

ISABEL. —Te prometo que no. Prepara el equipaje y que lo bajen al coche, y no olvides el telegrama.

ENRIQUE. —¿Y decir que nos han llamado por conferencia?

ISABEL. —¡Si aquí no hay teléfono!

ENRIQUE. —Ya; pero, como mentira, resulta más moderna. (*Mira al jardín.*) Te dejo con ella. Tú procura...

ISABEL. —Voy a hacer todo lo posible.

(ENRIQUE *sale por la izquierda*. ISABEL *va hacia el jardín en busca de* CRISTINA.)

DON PEDRO. —¿Has visto alguna vez a una araña cazar una mosca? Es apasionante.

DOÑA AURELIA. —No. Es doloroso. Me da pena de la pobre mosca...

DON PEDRO. —¡Si estás deseando que vuelva el invierno para verte libre de ellas!

DOÑA AURELIA. —Es que no puedo soportar la red, la trampa... La mentira...

DON PEDRO. —¿Y si lo que emplea la araña es la verdad?

DOÑA AURELIA. —Pero. La verdad es un arma peligrosa, que no debiera dejarse en todas las manos. Cuanto más importantes las verdades, hay que tener más cuidado con ellas. Yo las recogería todas y sólo permitiría su manejo a los técnicos.

DON PEDRO. —¿Y los demás?

DOÑA AURELIA. —Los demás, con sus pequeñas mentiras, pueden irse arreglando. Y cuando se cansen de ellas, se les cambian por otras. Por otras previamente esterilizadas, claro está...

(*Se detiene al oír llegar, hablando, desde el jardín, a* ISABEL *y* CRISTINA.)

ISABEL. —... y ha salido a buscarte en cuanto lo ha sabido... Porque él no había dudado ni un momento de ti...

CRISTINA. —¿No?

ISABEL. —Lo cual te honra mucho, pero no debe tranquilizarte lo más mínimo. Malo es que estén tan seguros de nosotras. Los ladrones son la gente que menos cree en los ladrones. Si temieran que saqueasen sus casas por la noche, no saldrían a robar en la ajena...

CRISTINA. —Es que yo tampoco había dudado de él.

ISABEL. —Peor. De los maridos con complejo de fidelidad, como el tuyo, es de quien más debe desconfiar la mujer propia... y la ajena. Porque engañan a medias, y se van, y vuelven...

CRISTINA. —¡Si vuelven!...

ISABEL. —Al volver es cuando aprenden el camino. Al ir, no se han fijado. Los que no vuelven son, en el fondo, los más fieles, porque irse para siempre es ser fiel, al menos, a la infidelidad. Mejor que el engaño menudo, al que no dan importancia y al que, por cansancio, acabamos por acostumbrarnos.

CRISTINA. —¿A eso puede una acostumbrarse?

ISABEL. —A eso, como a todo. La primera infidelidad es la que de verdad duele, como cuando notamos el primer rasguño o el primer golpe en la piel de una maleta nueva. Luego nos damos cuenta de que es irremediable, de que el destino de la maleta es volver trayendo pegadas las etiquetas de los hoteles donde ha pasado la noche.

CRISTINA. —Pero mientras no llega el primer engaño...

ISABEL. —¿Acaso sabemos cuándo llega? Y, si lo sabemos, ¿cómo estar seguras de que es el primero? Los hombres están hechos de infidelidad por dentro... Cuando no los tenemos a nuestro lado, todo puede estar siendo posible...

CRISTINA. —Y si los tenemos a nuestro lado...

ISABEL. —Todo puede acabar de haber sido posible.

CRISTINA. —O no...

ISABEL. —También, pero no debemos contar con eso. Hay que dudar constantemente de todo lo que está más allá de nuestros límites. Creer en la mitad de sus palabras y en la cuarta parte de sus juramentos. Pensar que una verdad puede ser muy parecida a una disculpa... Que hasta su reloj puede estar ayudándole a mentir... Y cuando aún no hayas acabado de dudar de él, empieza a dudar de lo que le rodea, porque a cada paso hay un peligro nuevo. Los hombres no salen de casa a buscar aventuras, como tampoco salen a comprar corbatas. Son las corbatas las que los llaman desde sus escaparates, las que los obligan a detener el coche o apearse en marcha del tranvía... Y les atraen porque, en el fondo, ellos las habían pensado así alguna vez... Y ningún hombre se contenta con una sola corbata, por mucho que le guste... No debemos pensar en lo lejano, sino en lo próximo. A la aventura que no se niegan nunca es a la aventura cómoda. Por eso debemos temer de la casa de enfrente, del piso de al lado, de nuestra mejor amiga...

CRISTINA. —¿De nuestra mejor amiga?

ISABEL. —Que sea la mejor, no quiere decir mucho... La amistad no es cosa de mujeres. Nos traicionamos siempre. No nos decimos nunca una a otra de qué color nos vamos a teñir el pelo. Nos gusta sorprender. Nuestros vestidos son, hasta el momento presente, un secreto que guardamos celosamente. Porque queremos adelantarnos y tememos que se nos adelanten. Ninguna mujer se confía jamás a otra... Desconfía, por si acaso, de tu mejor amiga...

CRISTINA. —Tú eres mi mejor amiga...

ISABEL. —Pues desconfía de mí, porque no puedo dejar de ser mujer. Gáname la ventaja de pensar en lo que yo puedo no haber pensado todavía, o en lo que ya puedo estar deseando olvidar. El estar sobre aviso no nos libra del mal, pero nos alivia el dolor de la sorpresa. Sólo en la intranquilidad constante podemos vivir un poco tranquilas las mujeres.

CRISTINA. —Hay otro camino mejor...

ISABEL. —¿Cuál?

CRISTINA. —El de confiar. El de creer, ¿comprendes?, porque se quiere creer. El no puede engañarnos. Cuando nuestro amor lo envuelve, lo hace invulnerable contra todas las tentaciones. Tendría que empezar por engañarse a sí mismo. Cada juramento de amor que el hombre nos hace, da muerte a una mujer.

ISABEL. —Siempre habrá más mujeres que juramentos de hombre...

CRISTINA. —Malas mujeres, no tantas... Gracias a Dios, son las menos. Para contar las que debemos temer, de verdad, nos sobran dedos.

ISABEL. —Los hombres suelen jurar amor en falso.

CRISTINA. —Los hombres, tal vez. Pero él, no. El ya no es como los demás.

ISABEL. —Entonces, si tu mejor amiga te dijera...

CRISTINA. —Mentiría. ¡Tendría tantos motivos para ello!...

ISABEL. —Los mismos, exactamente, que para decir la verdad.

CRISTINA. —Por eso. Sus palabras estarían sucias del barro de los mismos motivos. No tendrían ningún valor.

ISABEL. —Muy bonito, Cristina. Pero muy poco práctico. Eso es una fe ciega.

CRISTINA. —Así pintan siempre a la Fe, con una venda en los ojos.

ISABEL. —Como al Amor.

CRISTINA. —Pero el Amor no es más que un niño. La Fe es una mujer.

ISABEL. —El Amor lleva un arco y unas flechas. La Fe no tiene armas.

CRISTINA. —Ni las necesita. No va nunca a luchar. ¿No ves que es más fuerte?

ISABEL. —¿Más que el Amor?

CRISTINA. —Más que lo que algunas mujeres entienden por Amor...

(Hay un corto silencio. El tiempo justo que Isabel se ha dado para no responder.)

ISABEL. —¿Sabes que me voy?

CRISTINA. —¿Cuándo?

ISABEL. —Hoy. Dentro de un rato.

CRISTINA. —Lo siento.

ISABEL. —¿De verdad lo sientes?

CRISTINA. —¿Por qué iba a alegrarme? Sé que no te llevas nada.

ISABEL. —Puedo dejarme algo aquí...

CRISTINA. —Es posible. Mira, si lo encuentro, te lo enviaré en seguida. Si es tuyo, no me serviría para nada. Tenemos una talla muy distinta.

> (ISABEL, *sin contestar, ha ido a la puerta de la izquierda. Cerca de la puerta se vuelve lentamente y mira a* CRISTINA. *Deja caer sus palabras con suavidad sonriente.*)

ISABEL. —¡Ah! Se me olvidaba decirte... Ayer, al caer la tarde, cuando te acercaste a la glorieta, te oímos llegar...

CRISTINA. *(Con alegría.)* —¿Sí? *(Casi emocionada.)* Gracias, Isabel. (ISABEL *no se mueve, como si aún quedase algo por decir.* CRISTINA *lo comprende y duda, angustiada.*) ¿Antes... o después?

ISABEL. *(Sonriendo con toda su mala intención.)* —Después.

> (*Sale por la izquierda, después de haber mirado fijamente a* CRISTINA *para comprobar el efecto de sus palabras.* CRISTINA, *bajo el peso de la revelación de* ISABEL, *baja la cabeza.* DOÑA AURELIA *y* DON PEDRO *están abrumados también. Entra por el jardín* BERNARDO, *apresuradamente. Al ver a* CRISTINA, *se detiene.*)

BERNARDO. *(Desde la puerta, con alegría.)* —¡Cristina!

> (CRISTINA *alza la cabeza y mira a* BERNARDO *con tal expresión, que éste comprende in-*

mediatamente. Queda cortado, confuso. Se mi-
ran fijamente, sin atreverse a hablar. Después
de este breve y tenso silencio, DON PEDRO
vuelve la cabeza hacia DOÑA AURELIA.) [17]

DON PEDRO. —Cuando volví...
DOÑA AURELIA. —¿Qué?
DON PEDRO. —Comprendí, al verte, que lo sabías todo...
DOÑA AURELIA. —Salvo los detalles.
DON PEDRO. —Venía con el corazón en la mano.
DOÑA AURELIA. —Porque acababas de recuperarlo, y aún
no sabías qué hacer con él.

(CRISTINA *y* BERNARDO *se dan cuenta exacta*
de la intención de las palabras de DOÑA AURE-
LIA *y* DON PEDRO. *Escuchan con el mayor inte-*
rés y, en algunos momentos, reaccionan con las
palabras ajenas, como si las dijeran o las escu-
charan atentamente.)

DON PEDRO. —Volvía como si acabara de nacer...
DOÑA AURELIA. —Yo, en cambio, acababa de morirme...
Esperaba una palabra tuya...
DON PEDRO. —La que yo no quería pronunciar.
DOÑA AURELIA. —Por lo que te hubiera dolido decirla.
DON PEDRO. —Menos que a ti escucharla.
DOÑA AURELIA. —Ni siquiera me pediste perdón...
DON PEDRO. —¿Era preciso?

---

17. Hay una inversión de las funciones dramáticas entre los viejos y la pareja joven. Hasta este momento Don Pedro y Doña Aurelia han sido el público para las «comedias» de los otros personajes;
ahora Bernardo y Cristina se hacen los espectadores para el pequeño
«drama» curativo que representan los viejos.

DOÑA AURELIA. —No; pero para que no tuviera que ponerlo yo todo...

DON PEDRO. —El caso fue que me perdonaste.

DOÑA AURELIA. —Sí. Sin deber perdonar.

DON PEDRO. —Hiciste bien.

DOÑA AURELIA. —No debí hacerlo tan bien, cuando tuve que volver a hacerlo, después, otras veces...

DON PEDRO. —¿Qué seríais las mujeres sin la elegancia del perdón?

DOÑA AURELIA. —Esa elegancia, como todas, es cara. Pagamos un precio muy alto por lo que a vosotros no os cuesta nada.

DON PEDRO. (*Con una protesta involuntaria.*) —Bueno, eso de que no nos cuesta nada...

DOÑA AURELIA. —¿Sabes por qué te perdoné?

DON PEDRO. —Porque me querías...

DOÑA AURELIA. (*Negando con la cabeza.*) —Frío. En aquel momento te estaba odiando tanto como te había querido. Había que echar algo en la balanza. Era mejor seguir, aun queriéndote menos, que separarse, queriéndose todavía. Es peligroso jugárselo todo, en un minuto, a una sola carta. La baraja tiene cuarenta. Más o menos, como años la vida de dos seres unidos... Te perdoné, porque miré a lo lejos y vi todo lo que nos quedaba por andar, del brazo, sosteniéndonos el uno al otro, para no caer, o para caer y levantarse...

DON PEDRO. —¿Tanto pensaste en tan poco tiempo?

DOÑA AURELIA. —No. Fue más sencillo. Pensé en mis padres. Los recordé felices, identificados, de vuelta de todo lo bueno y de todo lo malo... Tan hechos una sola pieza, que con la vida de uno tenían para los dos... Todas las mujeres, al casarnos, deberíamos hacer una pregunta a nuestra madre: «¿Qué hiciste al enterarte de que papá te engañaba?» En la respuesta, cuando hemos asistido al resultado de su vejez, encontraríamos la mejor lección... Te pensé viejo un momento.

Don Pedro. —Sí. Las mujeres, en el fondo, deseáis nuestra vejez para conservarnos como un trofeo de caza.

Doña Aurelia. —Yo también me pensé vieja a tu lado... ¡y qué alegría la de sentirme joven, con fuerzas para andar todo el camino!

Don Pedro. —Y entonces me abrazaste...

Doña Aurelia. *(Protestando.)* —¡Fuiste tú, Pedro!

Don Pedro. *(Protestando también.)* —Perdona, pero...

Doña Aurelia. —Es verdad. Fuimos los dos. Una mirada que lo limpiaba todo... y un mismo resorte...

(Cristina y Bernardo se miran. Como electrizados, van a encontrarse y se abrazan apasionadamente. Quedan así unidos, quietos, hasta el final del acto. Doña Aurelia y Don Pedro se miran y sonríen. Aparece en la puerta de la izquierda, con el impermeable al brazo y la gorra en la mano, Enrique. Sorprendido, se detiene en la puerta. Sonríe muy satisfecho y hace señas hacia adentro, llamando a Isabel. Aparece Isabel en la puerta. Trae puestos abrigo y sombrero de viaje, y un bolso grande en la mano. Enrique le muestra, complacido, el estrecho abrazo de Cristina y Bernardo. Isabel no sabe disimular su cólera. Cruza bruscamente la escena y sale por la puerta del jardín, sin volver la cabeza. Enrique, un poco extrañado, la sigue. Doña Aurelia y Don Pedro se ponen en pie. Vuelve Gervasio del jardín y va a salir por la izquierda.)

Don Pedro. *(A Gervasio.)* —Gervasio... (Gervasio se

detiene.) La mesa del comedor grande, para cuatro [18].
Y suba una botella de ese «champagne» que decimos
que ya no nos queda...

GERVASIO. *(Indicando con el gesto que los invitados se
van.)* —Pero si... *(Encontrando una solución.)* ¡Si están
solos los señores!...

DOÑA AURELIA. —Por eso, Gervasio. Por eso...

> *(GERVASIO, sin comprender, se inclina, y sa-
> le por la izquierda.* DON PEDRO *y* DOÑA AURE-
> LIA *se abrazan también. Telón.)*

18. Esta línea indica que van a derribar la muralla imaginaria
entre las dos realidades para celebrar la reconciliación de Benardo
y Cristina.